LUNA
CEPTION

Directeur de collection : Robert Davies
Directrice de fabrication et design : Madeleine Hébert

Dans la même collection

L'Étincelle est une collection de Services Complets d'Édition (SCE)

POUR RECEVOIR NOTRE CATALOGUE, IL SUFFIT DE NOUS
FAIRE PARVENIR UNE DEMANDE À L'UNE DES ADRESSES SUIVANTES:

SCE-Canada, C.P. 702, Station Outremont, Québec, Canada H2V 4N6
SCE-France, 70 avenue Émile-Zola, 75015 Paris, France.

Louise Lacey

LUNA
CEPTION

**traduit de l'américain par
Line Chamberland, Catherine Éveillard
et Colette Vidal**

L'Étincelle

Montréal–Paris

La maquette de ce livre a été réalisée avec le logiciel
Xerox Ventura Publisher et des polices de caractères
Bitstream® Fontware™ sur imprimante au laser.
Diffusion *Bitstream* en France: ISE CEGOS, Tour Amboise, 7e étage
204 Rond-Point Pont de Sèvres, 92516 Boulogne.

DIFFUSION

Canada: Médialiv
1975 Bd Industriel
Laval, Québec H7S 1P6
Tél. [514] 629-6001

France: SCE-France
70, avenue Émile Zola
75015 Paris
Tél. 45.75.71.27

Belgique: Presses de Belgique
96, rue Gray
1040 Bruxelles

Suisse: Diffulivre
41, Jordils
1025 St-Sulpice

LUNA CEPTION

Titre original: Lunaception: A feminine odyssey into fertility and contraception.
Copyright© Louise Lacey 1974, 1975.
Copyright© 1976 pour la version française, éditions l'étincelle inc.

Dépôt légal 1er trimestre 1976, Bibliothèque Nationale du Québec.

Editions l'Etincelle Inc..
Adresse postale: C.P. 702, Station Outremont, Montréal, Québec.

ISBN: 0-88515-046-5

Introduction

L e mouvement pour la santé des femmes ou mouvement d'entraide féminine qui a commencé dans les régions côtières des Etats-Unis est en train de s'étendre rapidement au monde entier. Dans cette lutte pour reconquérir notre corps (ce que Pauline Bart appelle «saisir les moyens de reproduction»), *Lunaception*, en tant que livre et en tant qu'idée, constitue une étape importante. Louise Lacey qui vit dans le nord de la Californie, s'est gagnée la gratitude de toutes les femmes qu'elles aient, ou non, adopté sa méthode de contraception. Louise Lacey est la première femme qui ait eu le courage de dire non à toutes les pilules et à toutes les inventions des contrôleurs de naissance, qui ait effectué sans lui faire violence, une recherche personnelle sur son propre corps et qui ait découvert une méthode contraceptive qui lui convenait et lui apportait d'autre part des satisfactions inattendues, qui ait persuadé certaines de ses amies de l'essayer et voyant les résultats positifs, qui ait écrit un livre à ce sujet. La lunaception ne s'adresse pas à n'importe qui; elle demande beaucoup de discipline et d'engagement. Toutefois, pour ce pourcentage de femmes résolues qui, comme Louise Lacey, redoutent les effets secondaires de la pilule et autres moyens de contraception couramment utilisés, la lunaception pourrait bien s'avérer être la première méthode efficace vraiment naturelle qu'elles attendaient depuis longtemps.

Parmi les féministes préoccupées par les questions de santé, Louise Lacey n'est pas la première à chercher dans son propre corps la clé de la contraception. Certaines d'entre elles ont mis au point des méthodes maison qui semblent leur convenir. J'en connais plusieurs qui ont appris à identifier leurs jours féconds d'après les modifications du col utérin et les sécrétions cervicales, et d'autres chez qui les douleurs ovulatoires *(mittelschmerz)* sont si prononcées qu'elles peuvent servir d'indicateur sûr. L'inconvénient de ces méthodes, comme toutes celles basées sur la notion de rythme, est qu'elles n'offrent pas une protection préovulatoire aussi importante que la lunaception, qui elle, permet de prévoir la date de l'ovulation. D'autre part, la plupart de ces auto-expérimentatrices demeurent discrètes, ce qui est tout naturel, quand il s'agit de faire partager leurs trouvailles. Louise Lacey sait également qu'elle sera attaquée et moquée comme le sont tous les innovateurs. Un jeune homme qui avait juste feuilleté une copie du manuscrit de ce livre demanda sur un ton sardonique: «Vous avez dit lunaception ou lunatique?»

Il semblait assez content de son mot d'esprit mais je ne pense pas que beaucoup de femmes en rient. Essayons de passer en revue les méthodes contraceptives à notre disposition, sur les plans de l'efficacité et de la sécurité qu'elles offrent, car, comme le dit Louise Lacey, «le contrôle des naissances ne contrôle pas vraiment les naissances; on obtient simplement une baisse du taux de natalité par le biais d'une grossière manipulation des fonctions naturelles du corps».

C'est une formule acceptée et un lien commun dans les brochures de planning familial que «la meilleure méthode de contraception est celle qui permet au couple de se sentir à l'aise et en harmonie avec la nature». La pilule contraceptive est considérée comme naturelle par les hommes qui l'ont mise au point et qui la prescrivent, mais les femmes qui doivent l'avaler ne sont pas toujours d'accord sur ce point. Deux femmes sur trois cessent de prendre la pilule au bout de cinq ans à cause deseffets secondaires. De plus, son véritable taux d'échec (comparé à son taux d'efficacité théorique de 99½ pour cent), est beaucoup plus élevé qu'on ne l'a fait croire au public. Les meilleures données dont nous disposions concernant ce problème sont celles tirées de l'étude sur la fertilité effectuée en 1970 par le Dr. Norman B. Ryder[1].

Cette étude montre que pendant la première année d'utilisation de la pilule, 6% des femmes tombent enceintes. Les femmes obtiennent de meilleurs résultats quand elles vieillissent et prennent la pilule plus régulièrement, se protégeant ainsi de façon plus efficace. Celles qui utilisent des contraceptifs afin de prévenir définitivement toute grossesse (c'est-à-dire qui ont déjà le nombre d'enfants qu'elles désirent) ont aussi de meilleurs résultats que celles qui veulent simplement retarder celle-ci. Dans les deux cas, les échecs sont dûs au fait que la pilule est prise irrégulièrement.

Louise Lacey a raison de s'interroger sur les effets à long terme de la pilule sur les femmes et leurs enfants. Dans un rapport remis récemment à la «Federal Drug Administration» (FDA), le Dr. Sheldon Segal du «Population Council» disait[2]:

> «L'utilisation des hormones sexuelles synthétiques a pris une telle ampleur que cette catégorie de médicaments joue maintenant un rôle essentiel dans l'environnement chimique. La génération des moins de trente ans a été nourrie de bœuf engraissé avec des aliments aux œstrogènes, de viande d'agneaux nés de brebis à fécondation provoquée et de poulets chaponnés à la pâte ou aux boulettes d'œstrogènes. C'est dans cette génération que l'on trouve un pourcentage important d'enfants «d'après la pilule» nés de mères qui utilisaient des contraceptifs à base de stéroïdes avant de tomber enceintes volontairement ou non, et qui consomment eux-mêmes régulièrement une quantité prodigieuse d'œstrogène stéroïdal et de progestérone . . .
> les hormones sexuelles, dérivées ou non des stéroïdes, . . . risquent d'atteindre et d'affecter le gamète, l'embryon ou le fœtus . . .
> un risque sérieux — l'utilisation de doses importantes de stilbestrol pendant la grossesse — a été découvert . . .»

Théoriquement, le stérilet est une méthode efficace à 97.3-99%. En réalité, d'après le Dr. Ryder[3], 12% des femmes portant un stérilet tombent enceinte au cours de la première année d'utilisation.

L'inoffensivité du stérilet est également remise en question. Des infections et des décès ont été enregistrés chez des femmes utilisant cette méthode et au début 1974, le Dr. William Ober, un pathologiste appartenant à l'hôpital Beth Israel et à l'Ecole de Médecine Mt. Sinaï a signalé que des modifications pathologiques de l'utérus se produisaient chez la plupart des patientes dont le stérilet était en place depuis cinq ans ou plus[4].

Enfin, même les contraceptifs vaginaux soit-disant inoffensifs tels que les mousses spermicides et les gelées utilisées avec le diaphragme, font l'objet d'une enquête menée par le FDA qui veut vérifier leur innocuité. Aucun cas de décès dû à l'utilisation de ces produits n'a été enregistré mais il a été prouvé que certains d'entre eux pourraient contenir du mercure ou d'autres produits chimiques nocifs qui pourraient être absorbés par la muqueuse vaginale.

En théorie, le diaphragme est une méthode sûre à 98-99% et, de même que la pilule ou le stérilet, il protège admirablement certaines femmes. Toutefois, le Dr. Ryder a découvert que presque le quart (23%) des utilisatrices du diaphragme tombent enceintes[5]. Le fait que certaines cliniques et certains docteurs ne prescrivent pas toujours à leurs patientes un diaphragme de taille adéquate et ne donnent aucune instruction quant à son utilisation correcte, constitue un élément supplémentaire qui affecte son efficacité.

Au cas où tous ces chiffres vous sembleraient trop pessimistes, je me dois d'ajouter qu'avec les contraceptifs locaux et bien sûr, la pilule, il est essentiel que la femme soit résolue et consciencieuse. Les femmes qui sont extrêmement prudentes ont tendance à obtenir un pourcentage de réussite proche de l'idéal théorique.

J'ai déjà mentionné que le mouvement d'entraide féminine avait débuté dans les régions côtières des Etats-Unis. Les premiers petits groupes commencèrent à se réunir vers la fin des années 60, inspirés par le début de la prise de conscience féministe et les succès antérieurs des associations nationales pour l'accouchement et la promotion de l'accouchement sans douleur. Tout en faisant de l'agitation à leur sujet, nous commençâmes à étudier les problèmes de l'avortement, de l'information pour un contrôle des naissances consenti et conscient, des opérations chirurgicales inutiles, de l'image de la femme projetée par les publicités pharmaceutiques et les manuels de médecine et de la discrimination sexiste appliquée par le système d'admission des écoles de médecine. Nous en conclûmes que, dans le domaine de la santé, le sexisme est un problème fondamental, parce que, contrairement à l'homme, la femme est, de la puberté à la ménopause, dépendante de son médecin aussi bien physiquement qu'émotivement.

Une visite à son cabinet et une séance sur cette table d'examen détestable accompagnent la plupart des moments cruciaux de la vie d'une femme: la puberté et la menstruation, sa première expérience sexuelle (qui implique ses premiers contraceptifs), toutes ses grossesses voulues ou non. Plus tard, c'est encore son médecin qui soignera ses enfants et la guidera pendant la ménopause. Ainsi, si son médecin la traite de façon arbitraire et paternaliste, sa croissance et son développement psychologiques de même que sa santé physique, sont menacés. Sa propre image elle-même s'en trouve diminuée.

Nous avons maintenant 200 centres d'entraide éparpillés à travers les Etats-Unis. Leurs fonctions varient. Les services offerts diffèrent d'un centre à l'autre. Presque tous donnent des cours de «Connaissance de son corps» et exercent une «surveillance sanitaire» sur les médecins et les cliniques communautaires (dispensaires) de leur quartier. *Health Right,* un journal édité conjointement par les auteurs de *Our Bodies, Ourselves,* et publié par le «Women's Health Forum» à New-York constitue notre principale source d'information[6].

On aurait pu prévoir que la lunaception serait l'œuvre d'une femme vivant en Californie. Pour des raisons que nous ne sommes pas parvenues à élucider, le mouvement d'entraide de l'Est des Etats-Unis a évolué dans une direction plutôt conservatrice. Nous sommes en train d'essayer de réformer l'organisation sanitaire en existence et d'apprendre aux femmes à mieux s'en servir. Par contre, les féministes de la côte Ouest tentent de trouver des solutions différentes. Certaines parviennent à éviter complètement de passer par les médecins et les cliniques. Dans certains secteurs, les sage-femmes exerçant illégalement sont déjà nombreuses. Les femmes de la côte Ouest me semblent plus audacieuses, plus radicales mais aussi quelquefois plus fantasques. C'est pourquoi il est difficile pour une New-Yorkaise de vraiment apprécier le concept d'harmonie physique totale avancé par Louise Lacey. Toutefois, si nous voulons réussir à nous «emparer des moyens de reproduction», les femmes de l'Est et de l'Ouest devront continuer de coopérer comme elles l'ont fait jusque là.

Et peu importe l'Est ou l'Ouest, *Lunaception* devrait être une source d'inspiration pour les femmes du monde entier.

Barbara Seaman

---

[1] Norman B. Ryder, *Contraceptive Failure in the United States,* Family Planning Prospectives, vol. 5, no 3, été 1973.

[2] Etude intitulée *Effects of Environmental Hormones on the Foetus,* présentée au FDA le 23 janvier 1975.

[3] Ryder, *op. cit.*

[4] Etude présentée à l'Académie de Médecine de New-York, 17 avril 1974.

[5] Ryder, *op. cit.*

[6] Pour obtenir un exemplaire s'adresser directement au journal ou au Women's Health Forum, 175 Cinquième Avenue, New-York, N.Y. 100.10.

1

Hors de contexte

Préface

Vous allez lire l'histoire de la redécouverte de ce qui semble être la forme naturelle de la contraception féminine. Elle se fonde sur la capacité que possède le corps de la femme de réagir aux influences prévisibles de l'environnement. Elle ne demande ni appareils, ni pilules, ni onguents, ni potions. On ne peut pas vraiment qualifier la lunaception de «système» ou de méthode de «contrôle». Elle renferme beaucoup plus que cela. Elle va plus loin que ça.

C'est un modèle révolutionnaire pour examiner son propre corps, une façon agréable sur le plan biologique de se mettre en harmonie avec l'univers, un outil précieux pour la santé, enfin et surtout un moyen éventuel d'accéder à la contraception à discrétion.

J'ai écrit ce livre dans un style très personnel parce que la santé, la sexualité et la vie sont des sujets très personnels et parce que l'histoire de la lunaception est celle de ma propre recherche d'une méthode contraceptive qui ne fasse pas violence à mon corps. J'ai trouvé ce que je cherchais. Et bien plus encore.

Aucun test d'envergure n'a encore été effectué sur l'aspect contraceptif de la lunaception. J'espère que ce livre incitera quelqu'un à étudier cette question.

Je ne promets pas de miracle. Je crois sincèrement que toute femme normale peut accéder à une telle connaissance de son corps et à une telle harmonie avec l'univers, que la grossesse deviendra un choix au lieu d'être une fatalité.

Ce livre lui montrera pourquoi et comment.

Chapitre 1

Un problème personnel

Chaque fois que je commence à me féliciter, pensant que j'ai trouvé la Réponse à quelques unes des Questions Essentielles de la Vie, quelque chose se produit qui vient mettre en lumière un autre aspect de mon ignorance fondamentale, comme un pied de nez de la réalité.

Donc, comme il fallait s'y attendre, juste quand je pensais avoir apporté la dernière touche à mon image de femme, j'allai comme tous les ans passer ma visite médicale au Planning Familial. «Vous avez une grosseur au sein», me dit le jeune docteur. «Vous feriez mieux de consulter un chirurgien».

J'imagine qu'aucune femme n'est jamais réellement prête à faire face à l'éventualité d'un cancer au sein. Je ne l'étais certes pas. Il me semblait n'avoir résisté aux attaques psychiques des mass média (Un médecin déclare: LA LIBÉRATION DES FEMMES REND LES HOMMES IMPUISSANTS), des amis: «Tu conduis comme un homme», et même du simple passant «Etes-vous libérée madame, ou avez-vous besoin d'aide pour réparer cette crevaison?» que pour être trahie par mon propre corps.

Ce que je savais du pronostic pour une femme de mon âge et de l'expérience médicale dans le domaine du cancer du sein n'était pas fait pour me rassurer. Je n'avais pas d'assurance médicale[1] ni même assez d'argent pour me payer une visite chez un chirurgien de deuxième ordre. Chaque fois que j'y pensais — ce qui était le plus rarement possible — je suais à grosses gouttes (je sais, une femme ne sue pas, elle transpire!).

Après des semaines d'attente exaspérante dues à la lenteur bureaucratique, je parvins enfin à obtenir un rendez-vous au centre médical de l'université. A la clinique chirurgicale, on m'examina des pieds à la tête et des étudiants en médecine me pressèrent et me tâtèrent les seins successivement. Lèvres serrées. Sourcils légèrement froncés. Sans un mot.

Ensuite, après deux entretiens à voix basse dans le hall avec ses étudiants, le chirurgien en chef donna finalement son verdict: ce que j'avais, n'était pas un cancer mais ce qu'il appelait un fibrome. Il dit que ce n'était pas une tumeur maligne et qu'il ne ferait même pas une biopsie.

Après que mon pouls fut redevenu normal, je commençai à comprendre le reste de ses paroles. Ce phénomène n'était certes pas nouveau, toutefois les fibromes aux seins se déclaraient beaucoup plus fréquemment chez les femmes qui avaient pris la pilule pendant plusieurs années. Je n'étais qu'un cas parmi tant d'autres. Il n'était certain de rien, naturellement, car la pilule était un facteur nouveau dans l'histoire de la médecine, mais il pensait que les fibromes (car j'en avais plusieurs à ce moment-là) ne deviendraient pas cancéreux dans le futur. Toutefois, il me prévint que de nouvelles grosseurs risquaient de se développer si je continuais à prendre la pilule et qu'il faudrait que je revienne au centre médical à intervalles réguliers pour me faire examiner les seins et m'assurer que les grosseurs inoffensives ne dissimulaient aucun risque de cancer réel.

Je lui demandai pourquoi de tels effets secondaires de la pilule n'étaient pas mieux connus du public. Il me répliqua suavement que la pilule qui, après tout, était la méthode contraceptive la plus efficace que l'on connaisse, avait causé assez d'angoisse et d'hystérie récemment sans que les docteurs viennent jeter de l'huile sur le feu.

Merci beaucoup, pensais-je tandis qu'il passait la porte suivi de ses étudiants silencieux, je vais garder mon hystérie et mes grosseurs et rentrer chez moi.

Ce fut le dernier jour que je pris la pilule.

Dans un certain sens, ce fut un grand soulagement. Non seulement mes craintes concernant l'éventualité d'un cancer s'étaient avérées sans fondement, mais je ne me droguerais plus avec des hormones synthétiques. J'avais toujours eu des doutes sur le bien-fondé de jouer avec mon équilibre hormonal en prenant des pilules anti-conceptionnelles. Pourtant, l'expérience m'avait appris que j'étais très féconde; j'avais essayé presque toutes les méthodes en existence, quelquefois même plusieurs à la fois, avec un manque de succès évident. Alors, j'avais pris la pilule — pendant dix ans. Maintenant, c'était bon de mettre en pratique ce que j'avais toujours cru: qu'il vaut mieux ne pas essayer de régler ou de changer artificiellement les équilibres naturels de l'organisme.

Par contre, je n'aimais pas du tout me sentir de nouveau totalement vulnérable. Je ne voulais pas tomber enceinte. Les substituts de l'acte sexuel ne m'attiraient guère. La masturbation ou le lesbianisme ne me satisfaisaient pas et l'idée d'abstinence involontaire ne m'enchantait pas non plus. Après avoir envisagé toutes les solutions possibles, il ne me restait plus que l'avortement.

Je sais que certaines femmes ne s'occupent guère de leur fécondité. Elles s'exposent de façon irréfléchie et s'absolvent ensuite des conséquences en subissant des avortements à la chaîne. Pourquoi ne pas les imiter? La médecine moderne me procure non pas un mais deux moyens d'éviter une grossesse: je peux faire violence à mon corps avant (avec la pilule) ou après (avec l'avortement). Etait-ce la faute de la science si aucune de ces deux alternatives ne me convenait? L'ourlet de mes préjugés dépasse parfois sous celui de ma raison. Quand cela se produit, je ressens quelquefois une amertume momentanée vis-à-vis de la technologie inhérente à notre culture. Pourquoi devrais-je me faire violence pour éviter de concevoir?

Avant de prendre la pilule, j'avais subi un avortement, l'histoire classique sur une table de cuisine. A l'époque, je pensais que c'était la seule chose à faire et je n'avais pas de scrupules moraux. J'étais beaucoup plus préoccupée par la douleur, la dépense occasionnée et la peur. Ce fut une expérience si forte et si soudaine que je dus y faire face dans toute sa crue réalité. Pas de murs blancs stériles ni de professionnels impersonnels pour m'aider à me dissocier de l'événement. La graisse flottant à la surface de l'eau chaude dans la casserole, le craquement sourd (il faut briser les os, ma fille), l'odeur glaciale et humide d'une maison non chauffée, tout concourait à me rappeler ce qui se passait. Je décidais sur le champ que je ne le ferais plus jamais.

Et voilà que dix ans après, toutes passions éteintes, je me posais la question de nouveau. N'était-ce pas la meilleure solution maintenant qu'il était si facile d'avoir un avortement peu onéreux et sans danger? Cependant, plus j'y pensais et plus j'étais sûre que je ne voulais plus subir d'avortements. Je crois de tout cœur qu'on devrait pouvoir disposer de son corps à sa guise. Selon mon échelle de valeurs, l'avortement est un crime quel que soit le stade de développement de l'embryon. Sans me prétendre pacifiste, je pense que tuer est un acte très grave auquel je ne me résoudrais que dans des circonstances exceptionnelles. Par conséquent, l'avortement n'était pas pour moi.

Je ne pouvais pas y échapper: je devais être responsable de ce que je concevrais. Je ne voulais pas résoudre le problème de façon définitive en me faisant stériliser. Je voulais fonder ma propre famille mais je n'y étais pas encore prête. Je voulais pouvoir choisir de ne pas avoir d'enfant jusqu'à ce que je décide d'en avoir un. Si je ne faisais pas ce choix, il serait fait pour moi. Par conséquent, je ne pouvais éviter d'accepter ma responsabilité de ne pas tomber enceinte jusqu'à ce que j'y fus prête.

Mais comment faire? C'était là mon dilemme. Aussi commençais-je à chercher une alternative. Je ne sais pas ce que j'aurais fait si ma vie sentimentale n'avait été particulièrement calme à ce moment-là car l'abstinence représentait la seule solution pendant quelque temps.

Je me mis à avoir un profond respect pour la plénitude de mon corps pendant toute la période de transition qui fut nécessaire entre la pilule et le retour à l'état normal. Presque un an s'écoula avant que les dernières grosseurs disparaissent de mes seins et même à présent, elles réapparaissent de temps en temps pour de brèves périodes. Je considère que j'ai de la chance; les médecins m'avaient dit qu'elles pourraient rester en permanence. Les experts médicaux ne sont pas d'accord sur le rôle de la pilule dans l'apparition de fibromes aux seins. Certains pensent qu'elle en est la cause, d'autres qu'elle retarde leur développement.

Jusqu'à ce que je cesse de prendre la pilule, je ne me rendais pas compte des effets qu'elle avait sur moi. C'est seulement quand je m'arrêtai que je constatai à quel point mon système avait été affecté. Le premier changement et le plus évident se manifesta dans mon cycle menstruel qui devint très irrégulier. Tout d'abord, je ne m'en souciai guère, pensant qu'il se régulariserait au bout d'un certain temps. Mais bientôt, d'autres étranges symptômes de déséquilibre commencèrent également à se manifester.

Après six mois que j'eus arrêté de prendre la pilule, des dizaines de nouvelles rides apparurent tout à coup sur mon visage, mes fesses s'affaissèrent, ma taille s'épaissit sans que j'aie grossi et mon buste changea complètement de forme. Ces changements sont généralement des signes de vieillissement et se produisent graduellement pour culminer dans la ménopause. Je peux seulement conclure que mon système dont le niveau hormonal avait été si longtemps stimulé artificiellement par la pilule qui lui procurait les ingrédients essentiels (ingrédients normalement fabriqués par le corps lui-même), s'effondra littéralement quand je cessai de la prendre.

Un autre signe plus subtil accompagnant mon problème, se manifestait dans mon humeur. J'étais plus agressive et plus agitée qu'avant et j'avais des moments qui me laissaient, pleurant de désespoir sans aucune cause réelle ou riant pour des riens.

Finalement, un symptôme si flagrant que je ne pouvais l'ignorer s'imposa à moi avec force: ma vue, médiocre depuis mon adolescence, s'améliora radicalement. Pour la première fois depuis mon enfance, je pouvais, sans lunettes, distinguer individuellement les feuilles sur les arbres.

Un docteur me donna la solution à tous mes symptômes sous la forme d'une prescription de pilules d'œstrogènes.

Merci beaucoup. Mais non, merci, vraiment!

Je me renseignais et découvrais d'autres femmes qui avaient cessé de prendre la pilule. En fait, on me conta des dizaines d'histoires horribles sur les conséquences de la pilule. Je ne sollicitais pas ces histoires. Il suffisait de mentionner le sujet du contrôle des naissances pour qu'une femme après l'autre, se mette à déverser ses griefs; après avoir écouté certains récits, mes fibromes aux seins me semblaient un moindre mal. Les deux problèmes les plus communs aux femmes qui avaient cessé de prendre la pilule, bien que je ne les aie pas eus moi-même, étaient l'acné et un gain de poids.

Si les autres facteurs tels que le régime alimentaire sont gardés constants, le problème du poids lorsqu'il n'est pas causé par la rétention d'eau, semble suggérer que le métabolisme a subi des modifications et que le même nombre de calories étaient assimilées différemment lorsqu'elles étaient prises en même temps que la pilule. L'acné constaté par les femmes ne prenant plus la pilule, est probablement une conséquence de déséquilibre hormonal.

Tout en ne considérant pas sa réponse décisive, je demandai à un dermatologue si l'acné était commun chez les femmes ayant cessé de prendre la pilule. Il me répondit qu'il ne savait pas à quel point il était répandu mais que quatre-vingt-quinze pour cent de ses patientes de plus de vingt-cinq ans et atteintes d'acné avaient pris la pilule et n'avaient pas d'acné jusqu'à ce qu'elles cessent de la prendre.

Le fonctionnement naturel du système glandulaire subit une sorte de court-circuit pendant toutes ces années où l'on prend la pilule. On n'a aucune évidence scientifique réelle qui prouve l'existence de conséquences permanentes dûes à l'utilisation de la pilule. En principe, dès que l'on cesse de la prendre, toutes possibles conséquences disparaissent. J'interrogeai donc le dermatologue à ce sujet: le métabolisme subit-il des modifications permanentes dûes à l'utilisation de la pilule? Oui, répondit-il, j'en ai bien peur.

S'il a raison (je ne questionnai aucun spécialiste du métabolisme), doit-on supposer que des modifications permanentes du métabolisme sont sans conséquences?

Et cela voulait-il dire que je devais subir ma ménopause, à moins de reculer et d'avoir recours de nouveau à un traitement hormonal? Je n'étais pas prête pour cela. Pas à trente-deux ans.

Une diététicienne de mes amies me suggéra qu'il était possible de rétablir le fonctionnement normal de mon système glandulaire en absorbant des doses supplémentaires de vitamines B et E. Elle me recommanda de prendre des vitamines sous forme de pilules jusqu'à ce que j'élabore un régime alimentaire qui me les procure dans les quantités suivantes:

Vitamine B-1 (thiamine)	10 mlg.
Vitamine B-2 (riboflavine)	10 mlg.
Vitamine B-6 (pyndoxine)	10 mlg.
Acide paraminobenzoïque	10 mlg.
Niacine	20 mlg.
Biotine	10 mcg.
Acide folique	0.05 mlg.
Acide pantothénique	
(pantothenate de calcium)	100 mlg.
Vitamine B-12 (hydroxycobalamine)	5 mcg.
Vitamine E (Alpha D − tocopherol)	600 I.U.

Je fus horrifiée à la vue de sa liste. Je ne voulais pas passer ma vie à prendre des pilules, protestai-je. Elle me rassura en disant que tout d'abord, toutes les vitamines B se trouvaient dans une seule pilule et les vitamines E dans deux seulement; et deuxièmement, je pouvais faire le traitement pour un ou deux mois et juger du résultat. Si ce régime s'avérait bénéfique, j'apprendrais quelque chose dans le domaine de la diététique et pourrais absorber mes vitamines dans mes aliments plutôt qu'en prenant des pilules. Autrement, je pourrais simplement arrêter le traitement. De toute manière, je n'avais rien à perdre sinon le coût des pilules, car ces vitamines, particulièrement en doses aussi modérées, étaient inoffensives.

Par conséquent je suivis ses conseils. En un mois, les nouvelles rides avaient disparu et mes formes étaient redevenues normales. A mon grand étonnement, même mon derrière avait regrimpé. Mes sautes d'humeur avaient disparu et ma personnalité habituelle faite de turbulence contenue s'était réaffirmée. Ç'avait été un avant-goût terrifiant de l'âge mûr. Je n'étais pas fâchée de le remettre de côté pour quelque temps, même si je devais à présent porter mes lunettes car ma perception des détails était redevenue aussi imprécise que d'habitude.

Il n'y avait qu'une ombre au tableau de mon bonheur, c'est que dès que je m'arrêtais de prendre les vitamines, pensant que tout allait bien de nouveau, certains des symptômes revenaient. Par conséquent, j'ai dû me composer un régime alimentaire avec les quantités de vitamines B et E nécessaires et je suis à présent résignée au fait de devoir stimuler mes glandes indéfiniment. Je ne peux m'empêcher de penser que mon métabolisme a sans aucun doute, subi des transformations permanentes, malgré tout ce que peuvent déclarer les membres de la profession médicale.

Je pensais savoir ce que je faisais en prenant la pilule, mais je me trompais. Maintenant, je devais payer le prix, y compris l'abstinence. Cette dernière était un prix que je ne voulais pas payer indéfiniment car elle ne me satisfaisait pas du tout. En conséquence, je tournai mon attention sur le sujet du corps féminin pour comprendre le mien — et peut-être trouver une solution à mon problème.

---

[1] La Sécurité Sociale n'existe pas aux Etats-Unis.

Chapitre 2

La plénitude

Je me souviens encore très clairement après vingt ans, de ces films qu'on nous montrait en classe de biologie à l'école secondaire. Tandis que nous gloussions nerveusement dans l'obscurité, en nous cachant le visage dans les mains, la voix autoritaire du présentateur décrivait le mécanisme des formes étranges et colorées projetées sur l'écran. Tout cela était si clinique qu'on croyait sentir l'éther.

Bien que je crois de bonne foi à l'authenticité du contenu de ces films, il n'y avait pour moi aucune connexion viscérale entre ce que je voyais sur l'écran et ce que je faisais chaque week-end sur le siège arrière de la voiture de mon ami. C'était en fait, tout un autre sujet, et l'odeur n'avait rien à voir avec l'éther non plus.

Cette dichotomie se trouvait encore accentuée par ma mère chaque fois qu'elle me parlait de la sexualité. Ses réponses à toutes mes questions étaient toujours complètes et précises, mais elle ne manquait jamais d'insister sur le fait que l'acte sexuel était quelque chose qui «arrivait» entre deux êtres qui s'étaient tellement aimés qu'ils s'étaient mariés. Je ne discutais pas avec elle sur ce point.

A l'époque, je ne comprenais pas, mais des années plus tard, regardant en arrière, je pouvais voir que tout ce que j'avais appris était compartimenté en différentes catégories, chacune d'elles formant un groupe de connaissances séparé et distinct. Ces distinctions étaient accentuées par le fait que tous ceux qui avaient quelque autorité sur moi, à l'école, à l'église ou à la maison, me notaient et me jugeaient, me récompensaient ou me punissaient d'après ma capacité de démontrer que je me souvenais de ce qu'on m'avait dit. En fait, jusqu'à ma deuxième année de collège, on n'avait jamais fait la moindre allusion à un rapport quelconque entre les différents sujets. On ne s'attendait à aucune connection, on n'y pensait même pas. Une connection était quelque chose entre deux fils électriques ou quelqu'un qui pouvait vous rendre service.

A part le fait que ce genre d'éducation ne m'enseignait pas à penser mais seulement à apprendre par cœur, elle avait aussi d'autres conséquences plus subtiles: je n'appliquais pas grand chose de ce que j'avais appris officiellement sur le plan personnel; c'était purement académique; je touchais à la connaissance simplement comme un observateur; elle ne m'atteignait ni émotivement, ni viscéralement.

Même après avoir découvert que j'avais l'habitude mentale de compartimenter mes connaissances et après avoir compris les implications d'une telle habitude, cette découverte n'était pas suffisante en elle-même. Il fallait commencer par l'énorme tâche qui consistait à intégrer les connaissances acquises dans le passé avec l'expérience du moment présent; il fallait créer une nouvelle habitude mentale qui rétablirait un rapport entre la réalité présente et les données accumulées, et cela pour chaque catégorie — un travail qui prendrait toute une vie — si je voulais pouvoir sentir ce que je savais.

Tandis que je pensais à tout cela et que j'en discutais avec des gens de mon âge, j'arrivais à la conclusion que j'étais un cas typique de mon temps. En fait, j'irais jusqu'à avancer que, même si j'étais peut-être plus obtuse que beaucoup d'autres, cette habitude de compartimenter et de fragmenter les connaissances — et l'espèce de paralysie émotive qui en résulte — était jusqu'à très récemment délibérément inculquée à la plupart d'entre nous. Nous avions toutes les solutions mais elles ne nous concernaient pas. Si les poètes, inventeurs et autres rêveurs évitaient de se laisser endoctriner, c'est seulement parce qu'ils n'étaient pas attentifs. Malheureusement pour moi, je l'étais.

Il n'est donc pas surprenant que, lorsque je cherchai la solution à mon problème personnel de contraception, je découvris à quel point j'étais aliénée de mon propre corps et soit dit en passant, combien j'étais ignorante en ce qui concerne les détails de la reproduction. Je connaissais par cœur les généralités mais ne savais rien des particularités.

Je savais par exemple que l'ovule descendait le long des trompes de Fallope, mais j'ignorais totalement combien de temps cela nécessitait et combien de temps l'ovule restait susceptible d'être fécondé. Bien plus important, j'ignorais quand se produisait l'ovulation parce que je ne la sentais pas. N'y avait-il pas un moyen de le savoir? Il me semblait qu'il devrait y en avoir un. Et les spermatozoïdes? Combien de temps vivent-ils? Pourquoi mes règles étaient-elles si irrégulières depuis que je ne prenais plus la pilule? Qu'est-ce qui me donnait des crampes et que pouvais-je faire pour les atténuer? Quand mon corps redeviendrait-il normal, ou ne le redeviendrait-il jamais?

Le fait que je ne connaissais pas les réponses à toutes ces questions m'incita à faire énormément de recherche; je me mis aussi à beaucoup écouter mon corps. Je découvris que la reproduction est beaucoup plus que ce qu'on nous a jamais appris dans les livres d'hygiène.

Une connaissance courante des organes reproducteurs ne garantit pas la satisfaction sexuelle. Inversement, des relations sexuelles satisfaisantes n'impliquent pas nécessairement des connaissances en physiologie. Peut-être quelque combinaison magique de connaissances précises et d'expérience physique attentive est-elle nécessaire pour que nous soyons vraiment à l'aise dans notre corps et que nous le percevions consciemment. Pour moi, ce fut nécessaire. Je commençai par me renseigner dans les livres.

Naturellement les livres traitent toujours de fragments; dans ce cas, les différentes parties portent des noms anatomiques.

Je concentrai mon étude détaillée de la reproduction sexuelle surtout sur les aspects féminins, la limitant aux domaines de comparaison et strictement aux fonctions reproductrices pour ce qui est de l'homme; la justification d'une telle technique était d'une part, l'énorme quantité des données à assimiler et d'autre part, le souci prédominant que j'avais d'accéder à une plus grande intimité avec mon corps de femme. J'essayai autant que possible d'approcher le sujet comme si j'en ignorais tout, de manière à le voir sous un jour différent à l'aide d'impressions nouvelles. Je croyais que ce serait aussi difficile à accomplir qu'il l'est de voir objectivement son propre comportement, mais cela s'avéra plus facile que je ne pensais. Maintenant, je crois que c'était plus facile, précisément parce que j'étais si aliénée vis-à-vis de mon propre corps et que je l'avais toujours considéré de façon détachée, comme un sujet académique plutôt que personnel.

La première chose qui m'aie frappée tandis que je fouillais parmi les livres de médecine, est le magnifique agencement des organes reproducteurs en vue de leur fonction. Chez la femme, toutes les parties qui doivent être protégées — les ovaires, les trompes de Fallope, l'utérus (où l'ovule est créé, fertilisé et se développe) — se trouvent à l'intérieur de la spacieuse structure osseuse du pelvis, alors que les organes génitaux extérieurs sont conçus de manière à recevoir la stimulation sexuelle nécessaire.

Chez l'homme par contre, les organes génitaux sont presque tous visibles et vulnérables. La nature s'est montrée pratique dans sa distribution. Que faire du pénis au repos? que faire des seins? deux problèmes successivement masculin et féminin qui ont été résolus différemment à travers les âges par différents styles et différentes modes. Le scrotum, qui contient les testicules, se trouve dans un sens, à l'extérieur du corps ce qui lui permet d'avoir une température plus basse que celle du corps. Comme la production des spermatozoïdes est inhibée à la température normale du corps, la température inférieure du scrotum est une adaptation qui permet la production par les testicules de spermatozoïdes en nombre suffisant. Pendant la saison chaude, les testicules se placent plus bas, plus à l'écart du corps pour éviter des températures trop élevées.

Les mêmes tissus cellulaires donnent naissance soit aux testicules, soit aux ovaires. Le pénis ou le clitoris se développent à partir d'autres tissus. Il est évident que malgré des différences frappantes, les organes génitaux de l'homme et de la femme ont été conçus par le même architecte. On a seulement changé les détails pour adapter chaque organe aux besoins particuliers de son propriétaire. La femme, qui produit l'ovule, a besoin d'espace pour lui permettre de se développer. L'homme qui produit le mobile spermatozoïde, a besoin d'un instrument pour le transmettre. Ils ont tous deux besoin de mécanismes capables de produire et d'abriter les cellules sexuelles, d'espace et de surfaces planes pour l'évocation du plaisir et d'endroits agréables pour se rencontrer.

La différence entre le corps protégé de la femme et celui, vulnérable, de l'homme est un exemple du plan biologique commun à la plupart des espèces animales. Dans le royaume animal, la femelle est généralement conçue de façon classique. La nature semble avoir désigné le mâle comme étant le prototype expérimental tandis que la femelle est le vieux modèle standard et sûr. L'homme, par exemple, possède deux caractéristiques qui ne se retrouvent chez aucun animal: un mécanisme spécial de l'épaule qui lui permet de lancer des objets au loin et une structure du pelvis qui lui permet de courir. La femme doit se contenter de l'épaule et du pelvis qui font partie de son commun héritage avec les autres hominidés. La femme typique a un lancer semblable à celui du grand singe parce qu'elle a aussi son équipement. L'homme, seul parmi tous les hominidés, peut courir dans une position verticale et lancer efficacement.

La femme, d'autre part, possède un ou deux traits étranges. L'hymen est sans aucun doute une des plus étranges caractéristiques physiques d'un être vivant. Ayant à peu près la forme d'un beignet, il se trouve à l'entrée du vagin dont il rétrécit l'ouverture sans la fermer. La plus curieuse caractéristique de l'hymen est qu'il doit en général être détruit avant qu'une fonction vitale du corps puisse s'accomplir, bien qu'une femme puisse devenir enceinte sans être déflorée.

L'existence de l'hymen est connue depuis des millénaires par la plupart des peuples du globe. Naturellement, tous attribuent une certaine importance à l'hymen, et il fait l'objet de rites complexes chez certains d'entre eux. La plupart des peuples croyaient par erreur que la présence de l'hymen était un indice certain de chasteté. Beaucoup de jeunes filles furent punies pour des actes qu'elles n'eurent jamais la satisfaction de commettre. Les autres, pour la plupart, leur hymen intact, furent peut-être «déflorées» au cours de cérémonies rituelles, par le sorcier (homme ou femme), le prêtre, le seigneur ou leur père. Ce rite ainsi que celui qui accompagnait les premières règles, marquait la fin de l'enfance et le début de l'âge adulte pour les filles. Un rite ayant trait à l'hymen était fréquemment pratiqué juste avant les fiançailles ou le mariage parce que le futur mari voulait connaître le statut de sa fiancée.

Le clitoris est un autre organe qui est unique en son genre; il ne sert aucune fonction reproductrice, seulement celle de procurer du plaisir.

Les organes génitaux féminins externes, nommés collectivement la vulve (qui signifie couvrir), sont sensibles au toucher ainsi que les organes génitaux masculins. Ils comprennent: le pénil ou Mont de Vénus, les grandes lèvres et les petites lèvres, le clitoris et l'orifice vaginal (ouverture).

Le pénil ou Mont de Vénus est la surface charnue et proéminente qui couvre l'os pubis ou partie antérieure de l'os iliaque. Le Mont de Vénus se couvre de poils à la puberté. Les grandes lèvres sont les deux bords charnus extérieurs qui partent du Mont de Vénus et aboutissent à l'avant du rectum. Chez certaines femmes les grandes lèvres sont très plates et à peine visible sous l'épaisseur des poils; chez d'autres, elles sont très apparentes. Normalement, les grandes lèvres sont jointes sur les autres parties qui sont alors invisibles.

Les petites lèvres sont les deux replis de chair lisse et rosâtre situés à l'intérieur des grandes lèvres. A l'intérieur des petites lèvres se trouvent l'ouverture de l'urètre (canal excréteur d'urine), celle du vagin et celles de petits canaux aboutissant à certaines glandes sécrétrices. A l'avant, les petites lèvres forment un repli protecteur qui recouvre le clitoris.

Le clitoris, comme le pénis, est un organe extrêmement sensible qui se durcit et devient turgescent sous l'effet de l'excitation sexuelle. Il possède une plus grande concentration de terminaisons nerveuses que le pénis et cela dans un espace beaucoup plus restreint.

L'ouverture vaginale, ou orifice, est visible seulement quand les petites lèvres sont écartées. Elle est plus grande et située plus à l'arrière que l'urètre; son apparence est déterminée en grande partie par l'état et la forme de l'hymen.

Le vagin est séparé du rectum par une paroi musculaire épaisse appelée le périnée; au cours de l'épisiotomie, une opération parfois effectuée pendant l'accouchement, on fait habituellement une incision dans ce muscle de manière à élargir l'ouverture pour laisser passer l'enfant.

A l'intérieur de l'orifice vaginal et au-delà de l'hymen, se trouve un conduit musculaire collabé, le vagin. Le vagin est un espace virtuel plutôt qu'une structure permanente; il se distend pour s'adapter aux diverses situations qui se présentent, que ce soit l'écoulement des règles, le passage du pénis ou celui de l'enfant. Il n'est pas très sensible au toucher ou à la friction et réagit faiblement au plaisir ou à la douleur.

Par contre, à l'entrée du vagin, massé au niveau de l'hymen et à l'intérieur de celui-ci, se trouve un groupe de muscles extrêmement sensibles. Il est possible de les manipuler consciemment et, avec de la pratique, on peut les dilater ou les contracter à volonté. La fonction physiologique de ces muscles est de maintenir en place le vagin et les structures qui y sont reliées pendant l'acte sexuel et l'accouchement.

Le niveau hormonal de l'organisme agit sur l'apparence de la paroi vaginale. Normalement, cette paroi est rainurée mais charnue et souple. Sous l'effet de l'excitation sexuelle, un liquide lubrifiant est secrété qui rend la paroi glissante tandis que beaucoup d'autres choses se produisent également.

Au niveau de la partie supérieure du vagin, se trouve le col de l'utérus situé à l'entrée de l'utérus. Le col de l'utérus ressemble à un petit hémisphère bulbeux au centre duquel se trouve un tout petit orifice. Chez une femme qui n'a jamais eu d'enfant, un bouchon muqueux dépasse généralement de l'orifice. Chez les femmes qui ont accouché, le bouchon muqueux présente une forme concave.

L'utérus lui-même, a la forme d'une poire renversée d'environ huit centimètres de long, sauf pendant la grossesse où il peut se distendre suffisamment, jusqu'à contenir un total de neuf kilos: poids de l'enfant, du liquide amniotique et du placenta. La paroi de l'utérus, l'endomètre, contient de nombreuses glandes et un réseau complexe de vaisseaux sanguins.

Les muscles de la paroi utérine sont sous le contrôle du système nerveux autonome (sympathique), ce qui signifie que les contractions musculaires de l'utérus sont comme celles du cœur, indépendantes de la conscience et de la volonté. L'utérus fonctionne par lui-même, se contractant violemment pendant l'orgasme et l'accouchement, et faiblement pendant la menstruation.

De chaque côté de la partie supérieure de l'utérus, comme deux ramifications de celui-ci, les deux trompes de Fallope (ou oviductes), chacune d'une longueur de quelques centimètres, s'étendent latéralement vers les ovaires. Leurs extrémités inférieures s'ouvrent sur l'utérus tandis que leurs extrémités supérieures ne sont pas rattachées directement aux ovaires. Au lieu de cela, l'extrémité supérieure de chaque trompe forme une sorte d'entonnoir frangé qui s'étale et recouvre partiellement l'ovaire. Les ovaires eux-mêmes remplissent deux fonctions importantes. Non seulement ils produisent les ovules, mais ils sécrètent aussi les hormones femelles, les œstrogènes et la progestérone qui maintiennent le cycle des fonctions reproductrices et ces caractéristiques extérieures qui sont typiquement féminines.

Chaque ovaire a à peu près la grosseur et la forme d'un pruneau. A l'intérieur, se trouvent les follicules, chacun contenant un ovule à un niveau de développement plus ou moins élevé. Bien que l'ovule arrivé à maturité ne mesure que 1/200e de pouce de diamètre, c'est la plus grosse cellule du corps humain et la seule visible à l'œil nu.

Chaque femme naît avec 200 000 ovules dont aucun n'est arrivé à maturité. Ils ne commencent à se développer que juste avant les règles. De toute manière, à la cadence d'un par mois,

la femme n'en utilisera qu'environ 200 pendant toutes ses
années fécondes.

Et voilà pour les différentes parties!

La précision du mécanisme grâce auquel toutes les différentes parties fonctionnent en séquence rythmée, est remarquable.
Le cycle mensuel de la femme représente l'orchestration complexe d'une série d'événements interdépendants qui se répètent
constamment comme le cri du rorqual. Au moment où les
règles apparaissent, un cycle s'estompe tandis qu'un autre commence, ce qui fait qu'on désigne généralement ce moment-là
comme étant le début du cycle complet.

Tout d'abord, j'étais surtout intéressée par l'irrégularité de
mon cycle menstruel. Pendant dix ans il avait été régularisé artificiellement par la pilule. Dès que j'eus arrêté, le cycle me parut
anormalement irrégulier. Je m'inquiétais parce que ce sujet
était devenu pour moi une question de savoir à quel point mon
métabolisme avait été modifié de façon permanente. C'est ainsi
que je commençai ma recherche avec deux conceptions erro-
nées: que la régularité était la norme et que l'irrégularité était
probablement une conséquence de la pilule.

Le fait est que la régularité du cycle, telle qu'on la conçoit
couramment, n'existe pas.

De nombreuses études ont montré que la plupart des femmes se considèrent «assez régulières» et que la grande majorité
d'entre elles ne le sont pas du tout.

Je me mis à me demander à quel point ces femmes étaient
conscientes de leur propre corps. La pilule ne m'avait personnellement pas encouragée dans ce sens. Avec la pilule, on était
comme radio-guidée si l'on peut dire. Tout fonctionnait tout
seul et ne demandait aucune attention si ce n'est l'habitude quotidienne d'avaler la pilule.

Le mythe de la régularité est resté, malgré l'évidence du
contraire, évidence qui a été documentée il y a de cela cent-cin-
quante ans.

Dans une étude publiée en 1832 dans un journal de méde-
cine écossais «*Une enquête concernant l'histoire naturelle de la fonction
menstruelle*», J. Robertson disait que, parmi les femmes écossaises
demeurant à la ville et qu'il avait étudiées, un écart par rapport
à la durée moyenne de vingt-huit jours était si courant qu'il
pouvait être considéré entièrement normal. Une autre étude
effectuée par F. P. Foster en 1889, sur cinquante-six New-Yor-
kaises normales, a montré qu'une seule de ces femmes avait un

cycle régulier de façon permanente — et il était d'une durée de vingt-six jours. En 1933, une étude plus étendue faite par E. Allen sur 131 femmes normales, montrait qu'aucune d'elles n'était complètement régulière.

En 1935, D. L. Gunn et ses collaborateurs décidèrent de mener une recherche décisive, puisque l'évidence allait toujours à l'encontre de la sagesse populaire. Deux ans plus tard, lorsqu'ils publièrent leur rapport, non seulement, ils déclarèrent d'un commun accord «que le terme régulier n'avait aucun sens précis en ce qui concernait la menstruation», mais ils dévoilèrent aussi un certain nombre d'autres faits surprenants.

Pendant un an, ils contrôlèrent régulièrement et avec précision la longueur du cycle menstruel de 209 femmes jugées extrêmement sûres et sérieuses et de 561 autres dont les chiffres semblaient moins sûrs. Ils découvrirent que les résultats du second groupe étaient presque semblables à ceux du premier.

Dans le premier groupe, la moyenne cumulée de la durée du cycle menstruel était de 29 jours mais dans les deux groupes, lorsqu'on étudiait la moyenne annuelle de chaque femme, la durée moyenne cumulée de 29 jours ne s'appliquait plus. Non seulement existait-il des variations importantes dans les intervalles entre deux menstruations chez chaque femme, mais le cycle de chacune était différent de celui des autres. La «moyenne» cachait l'irrégularité fondamentale du phénomène. Pas une femme n'avait un cycle régulier à un jour près. Chez la plupart des femmes, la durée du cycle variait de huit à neuf jours et chez quatre-vingt-quatre pour cent d'entre elles, un écart de six jours ou moins existait entre la durée du cycle le plus long et celle du plus court.

Ils découvrirent aussi que les femmes mariées n'avaient pas des cycles très différents de ceux des femmes célibataires. (Cela impliquait que le fait d'avoir des relations sexuelles régulièrement ne modifiait pas le cycle menstruel). On ne trouva aucune preuve qui aurait pu indiquer que les intervalles entre deux menstruations étaient plus longs pendant la saison froide.

Lorsqu'ils firent le graphique de cycles individuels d'après le jour de la semaine où ils se produisaient, ils découvrirent qu'un nombre moyen d'entre eux se déclaraient régulièrement le dimanche, un nombre plus faible que s'il était dû au simple hasard, le lundi, mardi et mercredi et finalement, un grand nombre le samedi.

Un des chercheurs dans le groupe de Gunn, voulait savoir s'il existait ou non une corrélation entre la menstruation et les cycles lunaires; l'étude ne trouva aucun lien entre les deux. Cette observation se trouvait être en contradiction avec une étude de 12 000 cycles faite à Stockholm par Arrhenius en 1898, laquelle n'avait pas été conduite aussi rigoureusement que celle de Gunn.

La plus grande surprise concernait les nouvelles tendances observables dans les statistiques. Une corrélation semblait se dessiner entre l'âge et la longueur moyenne des intervalles entre les règles, c'est-à-dire la durée du cycle. La tendance générale semblait être en direction d'une durée plus courte du cycle avec l'âge à la cadence d'environ un jour de moins chaque cinq ou six ans entre vingt et un et trente-neuf ans. Vers quarante ans, l'inverse se produisait et la durée des cycles commençait à allonger atteignant un maximum au moment de la ménopause. Ceci bien sûr, était basé sur une «moyenne» calculée et ne donnait pas une idée précise de chaque cas particulier.

Bien que les chercheurs soient sûrs à présent que l'irrégularité du cycle était chose normale, la question demeurait quant à la signification des variations de la durée du cycle. Les femmes qui avaient fait l'objet de cette recherche n'avaient pas été étudiées pendant toute leur vie mais seulement une année. Ainsi, tout ce que Gunn et les autres pouvaient simplement dire, était que chez des femmes nées à cinq ans d'intervalle, la durée du cycle menstruel avait tendance à diminuer, mais on ne savait toujours pas pourquoi. Plutôt que d'être une évolution normale, la durée plus courte du cycle pouvait très bien être causée par l'effet d'un facteur spécifique sur la population. Il était possible que les habitudes sociales, les guerres, les changements de l'environnement, etc., aient eu un effet permanent sur le cycle menstruel des femmes plus jeunes. Il n'y avait pas moyen de savoir.

Trente ans plus tard, en 1967, Treloar et ses collaborateurs faisaient une étude très étendue publiée dans le *Journal International de la Fertilité*. Ils étudièrent 2700 femmes couvrant ainsi plus de 250 000 cycles et presque 26 000 «année-personne»[1]. Cette étude confirmait la validité générale des précédentes, ajoutait quelques précisions et de nouvelles données.

Une seule femme sur 2700 avait un cycle à peu près régulier — d'une durée de vingt-huit jours — pendant onze ans. A l'exception de ce cycle-là (qu'ils étudièrent de très près, le pensant suspect précisément à cause de sa régularité), «celui qui s'approchait le plus de la régularité parmi les cycles que nous ayions étudiés, comportait huit intervalles consécutifs de la même durée». Non seulement la durée de chaque cycle menstruel est indépendante de celle du précédent, mais les expériences des femmes sont différentes de l'une à l'autre, bien plus que si ces différences étaient dues au simple hasard.

Cette étude confirmait la diminution avec l'âge de la durée du cycle, avancée par l'étude précédente. Cette fois, les femmes étaient suivies pendant de longues périodes, parfois jusqu'à une décennie, ce qui permettrait peut-être de faire une plus grande généralisation. D'après les chercheurs, la femme «moyenne» avait ses premières règles à treize ans, avec un cycle de trente-trois jours en moyenne la première année; dans les années qui suivaient, la durée du cycle diminuait jusqu'à être seulement de trente jours. A vingt ans, la durée moyenne du cycle se stabilisait à vingt-neuf jours environ, et demeurait à peu près stationnaire jusqu'à vingt-six ans. Entre vingt-six et quarante ans, les intervalles se raccourcissaient lentement jusqu'à n'être plus que de 26.3 jours. Le cycle le plus court se produisait généralement environ huit ans avant la ménopause après quoi, sa durée commençait à rallonger plutôt rapidement jusqu'à atteindre son maximum juste avant la ménopause.

Si la durée du cycle avait tendance à se raccourcir graduellement de l'adolescence à l'âge mûr, son irrégularité première diminuait également, ce qui explique pourquoi, à trente six ans, la différence entre le cycle le plus long et le cycle le plus court n'était plus que de deux jours et demi. Parmi les exceptions à court terme, on trouvait la période post-natale typique avec un cycle plus irrégulier.

On découvrait aussi, incidemment, qu'un cycle sauté est très rare; la femme en général croit par erreur qu'elle a manqué un cycle quand, en fait, il s'agit seulement d'un intervalle exceptionnellement long ou d'un début de grossesse se terminant par un avortement spontané.

Treloar et son groupe déclarait en conclusion que «les cas étudiés contiennent des particularités qui rendent les normes tirées des statistiques utiles seulement pour des comparaisons entre groupes». La régularité du cycle menstruel chez chaque femme prise en particulier, était presque inconnue.

Il était après tout impossible de classer les femmes en catégories précises. Et la question concernant les facteurs responsables de la durée et des variations du cycle menstruel restait sans réponse. L'ancienne dichotomie était toujours présente: hérédité ou environnement? Cette fois pourtant, la question semblait raisonnable.

Quand j'eus fini de lire toutes ces études, et d'autres documents, je fus satisfaite du moins pour quelque temps en pensant que mon propre corps n'avait rien de bizarre. Je trouvais ces renseignements immensément rassurants et de la plus personnelle importance.

Je continuai mon étude, révisant les données familières en ce qui concerne chaque phase du cycle et essayant de les assimiler, forte de mes connaissances et de ce qu'elles avaient été confirmées. Mentalement, je voyais l'endomètre déversant ses richesses accumulées au cours du processus de la menstruation et l'hypophyse sécrétant le FSH pour stimuler le développement de plusieurs follicules à la surface des ovaires qui, à leur tour, commencent à fabriquer une nouvelle quantité d'œstrogènes pour le mois à venir. Un certain mois, un de mes ovaires porte l'ovule à maturité, le mois suivant, l'autre peut-être. Habituellement les ovaires travaillent à tour de rôle, mais il est commun que le même ovaire produise l'ovule plusieurs mois de suite.

Jusque là, rien de nouveau. Passons à la phase suivante: Dès que les règles s'arrêtent, les œstrogènes produits par le follicule stimulent l'endomètre qui recommence à accumuler les éléments nécessaires. Avant l'ovulation, de très nombreux changements se produisent pendant un laps de temps très court. L'hypophyse produit de grandes quantités de FSH et de LH, permettant à un ovule d'arriver à maturité, après quoi, la production d'œstrogènes se stabilise. Ensuite, précédant immédiatement l'ovulation, pendant et juste après, quelques uns des événements suivants se produisent: dans les vingt-quatre heures précédant l'ovulation, la température du corps généralement diminue considérablement ainsi que la quantité de calcium et de chlorure de sodium (composé chimique du sel), excrétée dans l'urine et dans le mucus utérin. Quelques jours avant l'ovulation, le mucus du col utérin commence à subir des modifications physiques aussi bien que chimiques; le bouchon à consistence visqueuse, se transforme pour devenir finalement fluide et transparent.

Au moment de l'ovulation, environ dix pour cent des femmes éprouvent ce qui est appelé *mittelschmerz* (littéralement «douleur du milieu») un élancement dans l'abdomen qui, pense-t-on, coincide avec le moment où l'ovule se détache du follicule. Le follicule se change alors en corps jaune et commence à sécréter une hormone qui lui est propre, la progestérone qui fait s'élever la température du corps et maintient l'endomètre (paroi utérine) dans des conditions favorables à une possible implantation de l'ovule. L'excrétion de vitamine C dans l'urine est décuplée. La température du corps s'élève d'un demi-degré à un degré. A ce moment-là, une quantité relativement importante de chlorure de sodium et de glucose (sucre qui se trouve dans le sang) est excrétée dans le mucus cervical qui atteint son plus haut niveau d'humidité et d'élasticité. Il est fréquent en même temps, que le nez se congestionne bien que l'acuité de l'odorat se trouve considérablement augmentée. Ce dernier élément est peut-être un facteur important dans la survie de l'espèce. Bien que son nez coule, la femme peut quand même retrouver son partenaire à l'odeur. Il a été prouvé que ses glandes sudoripares (qui secrètent la sueur), sont plus actives à ce moment-là et l'odeur de sa sueur plus forte, ce qui suggère que cette odeur peut jouer un rôle aussi bien pour l'homme que pour la femme. Bien qu'elles ne soient pas fonctionnellement équivalentes, les réactions biologiques des deux sexes sont efficacement agencées au bon moment.

L'ovulation comprend tous ces mécanismes interdépendants mais l'acte central est constitué par la séparation de l'ovule sélectionné du follicule ovarien. Le processus qui permet la circulation de l'ovule est fascinant. Immédiatement après s'être détaché de l'ovaire, l'ovule se trouve devant un problème qui est celui d'entrer dans la trompe de Fallope. Bien que le bord frangé de l'ouverture en forme d'entonnoir de l'oviducte se trouve près de l'ovaire, il ne l'entoure pas et n'y est relié d'aucune manière. L'ovule, contrairement au spermatozoïde, ne peut se mouvoir par lui-même. La pesanteur et peut-être aussi quelque mécanisme que nous ne connaissons pas encore parviennent presque toujours à faire entrer l'ovule dans l'entonnoir. On sait que pendant la plus grande partie du cycle menstruel, les sortes de franges dépassant à l'extrémité des trompes sont tombantes et inertes mais deviennent actives au moment de l'ovulation, permettant peut-être un meilleur contact avec la surface de l'ovule à ce moment-là. Les trompes elles-mêmes sont deux conduits tubulaires d'environ la grosseur d'une paille de balai, dont la surface interne est couverte de poils mobiles semblables à des cils et appelés cellules ciliées.

L'ovule couvre la distance entre l'ovaire et l'utérus en trois jours environ, se déplaçant plus rapidement au début qu'à la fin. Pour qu'une nouvelle vie soit créée, l'ovule doit être fécondé pendant le temps qu'il passe dans la trompe. En fait, il doit être fécondé dans une période d'environ douze heures pendant qu'il est dans une petite section du conduit. Cela signifie que dans une année, une femme est fertile pendant une période équivalente à moins de sept jours, période qui est répartie en intervalles de douze heures largement espacés sur toute l'année.

S'il n'y a pas fécondation pendant ces douze heures, l'ovule commence à se désintégrer et est habituellement expulsé immédiatement avec le mucus. Si l'ovule est fécondé, après une pause d'un jour environ, il commence à se diviser en cellules multiples tandis qu'il continue son voyage dans l'oviducte, se transformant en une unité composée de deux cellules, trois, quatre, etc . . . Le résultat est une masse ronde de cellules qui arrive dans l'utérus à peu près trois jours après la conception, flotte un ou deux jours à l'intérieur de celui-ci et, finalement, vers le sixième jour, se fixe à la paroi utérine et commence à se creuser une niche de manière à pouvoir puiser à la source qui va lui permettre de se développer. Dix-sept jours environ après l'ovulation et la conception, la boule de cellules s'est confortablement installée et l'ancien cycle est interrompu pour être remplacé par un autre: la grossesse.

Ainsi l'on peut voir que le temps joue un rôle crucial, et les qualités des spermatozoïdes ajoutent encore une nouvelle dimension au tableau parce que ces derniers peuvent parfois vivre beaucoup plus longtemps que les douze heures accordées à l'ovule. En 1964, une étude conduite au Centre Médical Albert Einstein et qui dura trois ans, montra que les spermatozoïdes de certains hommes vivent parfois pendant toute une semaine. Si l'on suppose que tout spermatozoïde qui est mobile est capable de féconder un ovule (ce qui n'est pas nécessairement le cas; personne ne sait pendant combien de temps les spermatozoïdes sont des agents actifs de création), des relations sexuelles prenant place aussi longtemps qu'une semaine avant l'ovulation pourraient alors causer la grossesse. Mais cela est peu probable. D'autres études ont démontré que, normalement, les spermatozoïdes vivent deux jours à l'intérieur du corps de la femme; il est toutefois pratiquement impossible de déterminer le degré de viabilité et de fécondité du sperme d'un homme à l'intérieur des trompes de Fallope d'une certaine femme prise en particulier.

De toute évidence, les préconditions de fécondité n'étaient pas aussi faciles à définir avec précision que je l'avais espéré. Mais au moins, j'avais le sentiment de comprendre un peu mieux tout le fonctionnement du système et je pouvais me situer dans le contexte de façon plus réaliste. Parfois, je pensais pouvoir sentir réellement ce qui se passait dans mon propre système reproducteur. Que cela ait été vrai ou non, peu importe, c'était cette sensation que je recherchais. Et les grandes lignes du sujet, je les connaissais depuis la puberté.

Peut-être cette connaissance du sujet dans ses grandes lignes n'avait-elle jamais suffi à me faire comprendre viscéralement ce qu'était la reproduction. Peut-être devais-je apprendre minutieusement tous les détails avant de me sentir personnellement touchée. Il est difficile de saisir la réalité de choses telles que la durée et les variations du cycle, le FSH et la prolifération des cellules. Par contre, il m'était possible de contempler les glandes sudoripares et celles responsables des odeurs génitales en tant qu'organes d'attraction; c'était une question personnelle et immédiate, le genre de chose que je pouvais vérifier moi-même. La valeur de cet exercice est beaucoup plus émotive qu'intellectuelle; il nous apprend quelque chose de la vie de la même manière que le fait la maternité.

Parfois, lorsque j'eus suffisamment assimilé mes lectures jusqu'à les intégrer à mon expérience personnelle, dans une synthèse proche d'une compréhension réelle, je réfléchissais à la beauté de l'agencement qui permettait à nos transports les plus extatiques et les plus sincères d'assurer la continuation de notre espèce. Je commençais aussi à comprendre les implications de l'idée de contraception que nous appelons contrôle des naissances.

---

[1] Année-personne doit être compris ici dans le même sens qu'année-lumière, c'est-à-dire le nombre d'années fécondes par personne multiplié par le nombre de personnes.

2

Le contexte social

Chapitre 3

Le «contrôle» des naissances

Nous devrions bientôt connaître les mystères de la chair si parfaitement que toutes les femmes seront capables d'éviter la grossesse à volonté et sans avoir recours à des moyens artificiels.
Monseigneur Edouard Gagnon.

Aucune société n'a jamais gaiement produit d'enfants sans avoir quelque mécanisme social qui contrôle d'une manière ou d'une autre l'entrée de nouveaux membres dans cette société. Les tabous ayant trait à la menstruation, au post-partum, à l'inceste, l'infanticide, les rites d'initiation, tout cela servait à maintenir dans certaines limites le nombre des membres d'une société. Mais un tel contrôle n'est pas la même chose que le contrôle des naissances.

Le contrôle des naissances tel qu'il existe aujourd'hui, consiste en une action directe dans le but de limiter le nombre d'enfants nés dans la société. Ce n'est que relativement récemment dans l'histoire de l'humanité qu'une restriction volontaire du nombre d'enfants est devenu un but conscient. Dans le passé, les règles qui contrôlaient l'entrée dans un groupe social empêchaient simplement ceux qui ne remplissaient pas les conditions requises d'être acceptés par le groupe en question. C'est ainsi que les enfants déformés étaient tués à la naissance, les jeunes hommes lâches qui ne subissaient pas avec courage les rites de l'initiation étaient bannis et ainsi de suite. La pratique courante voulait que chaque cas soit jugé individuellement.

Chaque culture a des institutions créées pour traiter les questions sociales, c'est-à-dire les problèmes qui affectent la société dans son ensemble, et il est possible de se faire une opinion sur une société en examinant ses institutions. Comme le concept de la restriction du nombre d'enfants est un problème relativement récent, l'histoire est pauvre en institutions sociales s'occupant de contrôle de naissance proprement dit. Les institutions qui existaient et s'occupaient des fonctions de la reproduction, étaient religieuses et tendaient à promouvoir la fécondité plutôt qu'à la décourager. On pouvait toujours trouver une solution au problème de la surpopulation; c'était la stérilité qui était tragique. Cela ne signifie pas qu'il n'existait aucun contrôle démographique mais seulement que le contrôle des naissances était rarement le but spécifique d'une société, parce qu'un nombre d'enfants trop élevé ne constituait pas un problème social. Malgré tout, dans beaucoup de sociétés, la contraception, le contrôle des naissances et le contrôle démographique étaient, sous des formes variées, pratiqués par les femmes depuis des millénaires.

Dans *La République*, Platon recommandait l'infanticide des enfants nés inférieurs ou déformés; il conseillait de «les faire disparaître dans un endroit mystérieux et inconnu comme il se devait». Aristote dans *La Politique*, l'approuvait et ajoutait d'autres mesures visant à limiter la fécondité, telles que la séparation des sexes et l'homosexualité. Il avait aussi ses idées au sujet de méthodes contraceptives spécifiques. Dans *l'Histoire des animaux*, il avançait l'opinion que si les «parties» de la femme étaient rendues plus lisses, la «matière» (sperme) serait forcée de glisser et ne pourrait ainsi pénétrer à l'intérieur, ce qui éviterait à la femme d'être enceinte. Dans ce but, il recommandait l'usage d'un onguent à base de plomb ou d'encens et d'huile d'olive, des remèdes très dangereux mais qui apparemment, étaient utilisés de son temps.

L'histoire de l'avortement, particulièrement pour les femmes célibataires, remonte très loin, et certains agents d'origine végétale qui affectent la fécondité sont connus depuis longtemps dans différentes régions du monde. La continence est la plus vieille et aussi la plus courante des méthodes utilisées pour éviter la conception — consciemment ou non.

De nos jours, le monde occidental regarde la surpopulation comme un problème social et nous avons une industrie commandant des milliards de dollars, consacrée au «contrôle des naissances». Le terme reflète avec justesse notre attitude caractéristique qui consiste à «attaquer» les problèmes, essayer de «contrôler» les choses.

> **contrôler: 1. maîtriser, dominer; contrôler ses réactions, contraindre;**
> **2. avoir sous sa domination, sa surveillance.**

Cela semble assez clair en surface, et pas particulièrement menaçant. Mais si l'on y réfléchit un peu comme je l'ai fait, le sens caché se manifeste avec force dès qu'on lit au-delà des mots. Il est ici question du contrôle des naissances, du corps de la femme, pas de la circulation routière. Comment est-il possible de contrôler, de dominer ou maîtriser un corps vivant? La vie n'est pas comme l'eau dans un robinet, elle n'aime pas être retenue, contrainte. En fait, imposer une contrainte physique à une chose vivante signifie parfois la mort et entraîne toujours la possibilité de dégâts — comme le sait quiconque a essayé d'arrêter un combat de chats, de collectionner des papillons ou de mettre quelqu'un en prison.

Dans notre culture, on pense que le contrôle des choses vivantes est à la fois possible et souhaitable. Nous disons: être responsable de . . . arranger les choses . . . avoir la situation en main. Cette attitude vis-à-vis du monde fait tellement partie de la culture occidentale qu'on n'en est presque pas conscient et on suppose automatiquement que les autres cultures ont la même attitude. On est généralement convaincu qu'il est préférable de contrôler les événements plutôt que de les laisser se produire naturellement. On croit pouvoir accomplir le travail de la nature mieux qu'elle ne le ferait elle-même — un point de vue d'une présomption extraordinaire quand on y pense. Pourtant on continue, prétendant que l'on peut tout contrôler: le communisme, la criminalité, la drogue, les prix, la technologie et les mœurs. A Houston, ce mythe connaît son apogée c'est là qu'on a élevé le Centre de contrôle de l'espace. A la maison, on contrôle ses sentiments, ses enfants et ses impulsions sexuelles. Du moins, on dit qu'on le fait. L'attitude fondamentale impliquant que contrôler est à la fois possible et souhaitable, n'est jamais remise en question. Mais en fait, on ne «contrôle» réellement jamais rien. On manipule, c'est tout. Et quelquefois on détruit.

Il n'est donc pas étonnant qu'en ce qui concerne le contrôle des naissances, on ait plus d'une dizaine de moyens de maîtriser la nature. Et parce qu'on ne peut réellement jamais rien contrôler, même si beaucoup pensent le contraire, on a, de plus d'une dizaine de façons, échoué dans notre but de contrôler les naissances.

Dans une étude publiée en 1973, touchant 6752 femmes, N. B. Ryder découvrait que malgré les nouveaux moyens contraceptifs qui ont fait baisser de moitié le taux des grossesses, quarante pour cent des femmes tombent encore enceinte involontairement.

Je connaissais bien les différentes méthodes contraceptives mais je décidai de les étudier un peu plus en profondeur pour mieux comprendre comment elles agissaient et découvrir leur effet réel sur notre corps. A la seule exception de la peu sûre méthode Ogino (ou méthode du rythme, basée sur l'idée que l'ovulation se produit à une date prévue), je découvris que toutes les techniques contraceptives utilisées de nos jours étaient fondées sur le principe qui veut que pour éviter d'avoir des enfants, l'on fasse d'une manière ou d'une autre, violence au corps, et habituellement, au corps de la femme. Le procédé, qu'il ait pour but de détruire le spermatozoïde, faire se convulser l'utérus ou augmenter le niveau hormonal, est toujours violent et ne prend jamais en considération les synchronismes naturels d'un corps en bonne santé.

La pilule

D'après le rapport de «Planned Parenthood», environ huit millions de femmes aux Etats-Unis, c'est-à-dire 20% des Américaines en âge de féconder, prennent la pilule régulièrement. Chacune des vingt huit sortes de pilules sur le marché en 1973 est composée d'hormones synthétiques qui sont l'imitation d'une substance naturelle. Sans soulever la question de la qualité de cette imitation, je considérai tout d'abord ce que l'intrusion d'une substance étrangère dans un organisme intégral signifie.

Peut-être, une des plus importantes leçons que nous ait donné l'écologie est l'idée qu'on ne peut toucher à l'ordre naturel des choses dans un domaine sans affecter l'ensemble. C'est ainsi qu'on a créé une révolution en médecine en ajoutant les antibiotiques à la panoplie du docteur, mais en causant en même temps l'évolution de bactéries plus nombreuses et plus résistantes; en agriculture, on a d'une part découvert les insecticides qui ont eu le même effet sur les insectes que les antibiotiques sur les bactéries, tandis que d'autre part, on a fertilisé la terre jusqu'à l'épuisement. Dans le domaine technique, la construction de barrages a causé des changements de climat et des déplacements de population, créé des épidémies ainsi que des dépôts de sel dans le sol. Chaque nouvelle découverte de la science a son prix et parfois ce prix est trop élevé.

Je comprenais que nos tentatives de contrôle demandaient une manipulation excessive de la nature à tel point que nous devions à présent faire face à des crises dans plusieurs domaines écologiques; l'un d'eux, et pas le moindre, était mon propre corps. Je savais que l'on pouvait se rendre malade en consommant à l'excès certaines choses. Un excès de vitamines A cause la décalcification des os et fait tomber les cheveux; un excès d'alcool détruit les cellules nerveuses et surcharge le foie. En fait un excès en toutes choses est dangereux pour un organisme vivant. La nature a des limites. Notre connaissance des effets de la technologie est beaucoup moins développée que cette technologie elle-même, et tandis que nous avons appris à reconnaître certains désastres causés par elle, il en est beaucoup dont nous ne savons encore rien. La ligne de division entre la sécurité et le désastre est souvent très imprécise. L'équilibre est toujours précaire.

La pilule apporte à l'organisme un produit synthétique en proportions anormales, dans un effort délibéré de changer l'équilibre du corps de manière à créer des conditions artificielles. Cette action doit nécessairement avoir des répercussions car la manipulation de l'équilibre naturel des choses a toujours des conséquences.

En fait, les conséquences que nous connaissons déjà sont considérables. Les hormones contenues dans la pilule passent dans le sang qui les distribue à chaque cellule, chaque organe et elles affectent presque toutes les fonctions de l'organisme. D'après beaucoup d'endocrinologues, plus de cinquante fonctions métaboliques sont affectées. Jamais encore dans l'histoire de notre espèce tant de gens n'avaient consommé des médicaments aussi actifs en ayant si peu conscience de leurs actes.

Le *Physician's Desk Reference* de 1973, une publication annuelle des fabricants de produits pharmaceutiques couvrant chaque médicament sur le marché, consacre un espace considérable à la description des contraceptifs oraux à base d'hormones et inclut une déclaration standard d'une extraordinaire longueur pour chaque marque de médicaments sur la liste. Le manque d'espace et les restrictions sur les droits de reproduction m'empêchent d'entrer dans de longues citations mais un résumé précis des renseignements divulgués dans la publication mentionnée ci-dessus s'impose car ces renseignements sont révélateurs.

Les contraceptifs oraux, sur le marché aux Etats-Unis depuis 1960, «donnent une protection presque totale»[1]. Le taux d'échecs pour la pilule combinée est plus bas que pour la pilule sequentielle.

Des études effectuées en Grande-Bretagne et aux Etats-Unis ont montré que l'utilisation de contraceptifs oraux accroissaient les risques de thrombose[2].

Il est souligné que l'incidence de l'hypertension on augmenté la sensibilité aux hydrates de carbone; d'autre part, les maladies de foie n'ont pas encore «été quantifiées avec précision».

Des doses élevées d'œstrogènes naturels et synthétiques données à des animaux pendant de longues périodes ont accru la fréquence de certains cancers. Mais parce qu'une comparaison directe entre l'animal et l'homme est impossible, on ne peut ni prouver ni nier le risque d'effet cancérigène des œstrogènes[3]. Des études supplémentaires sur des femmes prenant la pilule sont nécessaires.

Le Physician's Desk Reference conseille également aux médecins de ne pas donner la pilule à toute femme souffrant ou ayant des antécédents de: thrombo-phlébite, manifestations thrombo-emboliques, apoplexie, désordres biliaires, cancer du sein et autres formes de cancers relatifs aux œstrogènes, que ces cancers soient diagnostiqués ou simplement soupçonnés; toute perte de sang mystérieuse.

Le médecin doit aussi supprimer la pilule immédiatement si la patiente devient partiellement ou totalement aveugle ou si tout autre problème visuel se manifeste brusquement. De plus, les effets de la pilule sur l'embryon étant inconnus, on devrait discontinuer la prise de la pilule si l'on soupçonne une grossesse. Il est aussi conseillé aux mères nourrissant leur enfant au sein de ne pas prendre la pilule car ses éléments passent dans le lait et les effets à long terme sur l'enfant sont indéterminés[4].

Par précaution supplémentaire, il est nécessaire d'examiner les seins et les organes génitaux de chaque patiente, ainsi que de faire des frottis vaginaux de dépistage avant qu'elle ne commence à prendre la pilule, et à intervalles réguliers par la suite, tout ceci à cause du lien entre le cancer et les œstrogènes observé chez les animaux. La pilule peut fausser les résultats d'examens des fonctions endocrines et biliaires ce qui rend ces résultats peu utiles pour vérifier l'état de santé de la patiente.

De plus, le *Physician's Desk Reference* avise les médecins que des grosseurs utérines[5] peuvent apparaître sous l'influence des œstrogènes et de la progestérone et que, la pilule pouvant causer de la rétention d'eau, elle est à déconseiller aux femmes souffrant d'épilepsie, de migraine, d'asthme, de troubles biliaires ou cardiaques. Un «pourcentage important» de femmes utilisant des contraceptifs oraux tolèrent moins bien le glucose tandis que les femmes qui ont souffert de dépression par le passé risquent de rechuter. Le mécanisme de cause à effet est inconnu; toutefois les patientes dépressives et diabétiques devraient être surveillées.

Parmi les problèmes causés par les contraceptifs oraux, on peut avec certitude citer les suivants: crampes gastro-intestinales et gonflements, nausées, vomissements, pertes de sang, saignements au milieu du cycle menstruel et autres changements, absence des règles pendant et après le traitement avec la pilule, rétention d'eau (oedème), augmentation de la taille des seins, de leur sensibilité, sécrétions, perte ou gain de poids, érosion cervicale et sécrétions, réduction de la sécrétion de lait maternel après la naissance, jaunisse, éruption allergique, migraine, dépression et hypertension chez les sujets susceptibles.

Il est possible (on n'a pas encore de preuves irréfutables), que les contraceptifs oraux soient responsables des problèmes suivants: arrêt permanent de l'ovulation, syndrome prémenstruel chronique, changements dans la libido et l'appétit sexuel, troubles rénaux, maux de tête, poils superflus ou perte des cheveux, étourdissements, fatigue, rougeurs de peau, hémorragies sous-cutanées, démangeaisons.

Même si l'on ne comprend qu'un tiers des mots dans cet inventaire, il est significatif; on doit se rappeler que ces renseignements sont fournis sous obligation par les fabricants de produits pharmaceutiques en accord avec les règlements de la «Federal Food and Drug Administration»[6]. Et cette liste ne comprend qu'une partie du contenu de la boîte à surprises. On peut trouver beaucoup plus de renseignements sur bien d'autres conditions pathologiques liées à la pilule. Je lus étude sur étude dans les journaux médicaux sans même commencer à épuiser la littérature sur le sujet. C'est seulement moi qui m'épuisai et je dus m'arrêter.

Je trouvai quelques autres corrélations énumérées ci-dessous:

1. Une augmentation de 300% de cas de dysplasie du col utérin (changements cellulaires préliminairement considérés inoffensifs).

2. Tandis qu'après avoir pris la pilule les femmes sont parfois plus fécondes, le risque de fausse-couche est plus

grand et le taux d'aberrations chromosomiques est plus élevé chez le fœtus expulsé.

3. Les maux de gencives sont plus fréquents chez les utilisatrices de la pilule et la cicatrisation est beaucoup plus lente, à moins qu'elles ne cessent de la prendre. Ceci semble suggérer que les femmes qui prennent la pilule voient leurs besoins en vitamine C augmenter.

4. La prise de la pilule entraîne rapidement des carences de sels minéraux et de certaines vitamines en particulier du groupe B. La quantité d'acide folique absorbé peut parfois diminuer jusqu'à soixante pour cent chez les femmes qui ont pris la pilule ne serait-ce que pendant six semaines ce qui peut résulter en anémie. De plus, pour des raisons inconnues, de hautes concentrations de cuivre existent chez les utilisatrices de la pilule. Le cuivre peut être toxique si son niveau dans l'organisme est très élevé; toutefois la prise de la pilule ne semble pas causer des concentrations suffisantes pour approcher un niveau dangereux.

5. Le vagin devient beaucoup plus sensible aux infections sous l'effet de la pilule; cette dernière modifie l'hydratation et la teneur en glucides du vagin, préparant ainsi le terrain pour la prolifération des levures et champignons qui, à leur tour, peuvent entraîner des infections bactériennes secondaires.

6. La femme prenant la pilule risque de contracter la blennoragie plus facilement. La progestérone contenue dans la pilule rend non seulement la femme plus sensible à l'infection mais elle favorise la diffusion rapide de l'infection dans les autres organes génitaux, le plus souvent sans symptômes d'alarme.

7. La pilule accroît le risque de thrombose quand la femme doit subir une épreuve physique telle qu'une intervention chirurgicale. Dans ce cas, un anticoagulant, l'héparine, peut être utilisé pour contre-balancer l'effet de la pilule mais il est dangereux de s'en servir régulièrement. Quel serait en effet le sort d'une femme impliquée dans une collision automobile ou tout autre accident sanglant?

8. Il se produit une accumulation de stéroïdes androgènes chez la femme prenant la pilule. A ce syndrome vient s'ajouter ultérieurement un risque accru de cancer du

sein ou du foie. On vient récemment de faire la relation entre la prise de la pilule et une tumeur bénigne du foie. Cette dernière n'est pas cancéreuse mais elle peut provoquer des hémorragies mortelles.

Quand on fait la somme de tout ce que les fabricants de pilule veulent bien admettre et de ce qu'ils ne veulent pas avouer, on n'a encore que les effets connus de la pilule. Il reste l'inconnu.

J'abandonnai mon étude des effets secondaires de la pilule, pour me tourner vers celle de son mécanisme véritable. Là encore, la littérature sur le sujet était volumineuse et rébarbative. Personne ne connaît tous les différents agencements hormonaux qui permettent de prévenir la conception. Les deux catégories d'hormones, œstrogènes et progestérone, agissent de concert pour produire une certaine musique du corps dominée par une partie de l'orchestre — en l'occurence trop de timbales. Le corps continue malgré tout de jouer sa musique même si les sons sont discordants. Dans cette situation, l'organisme est affecté par six mécanismes différents qui ont pour but la contraception (c'est-à-dire que ces mécanismes sont les effets attendus de la pilule, par opposition aux nombreux effets secondaires décrits plus haut).

1. Normalement le cinquième jour du cycle, répondant à un signal de l'hypotalamus transmis par voie sanguine, l'hypophyse envoie un message aux ovaires (FSH) qui permet à ces derniers de commencer le processus de maturation de l'un des ovules. Le message est transmis dès que la réduction du niveau d'œstrogènes dans l'organisme a été accomplie. Chez une femme prenant la pilule, les œstrogènes manquants sont ajoutés artificiellement; en conséquence, le message n'est pas transmis et l'ovule ne mûrit pas dans le follicule. Les ovaires qui normalement subissent des modifications cycliques constantes, sont pratiquement mis au repos.

2. L'endomètre lui aussi, subit également en temps normal des modifications cycliques; parfois mince et déshydraté, parfois gonflé de sang, revenant ensuite à son état initial, sa capacité de recevoir un ovule fécondé varie en conséquence. La pilule arrête ce processus. Pendant les vingt ou vingt et un jours durant lesquels la pilule est administrée, l'endomètre se transforme en un milieu hostile à l'implantation d'un ovule fécondé. Il est aussi, bien sûr, hostile pen-

dant la période de menstruation (plus justement appelée pseudo-menstruation).

3. Chez la femme qui ne prend pas la pilule, le col utérin passe par un cycle mensuel qui lui est propre; après avoir été resserré et ferme, il se ramollit et se relâche, puis devient doux et humide et ainsi de suite. Avec la pilule, le col utérin ne subit pas toutes ces modifications. Il demeure fermement scellé, épais et sec, ne s'humectant qu'avec l'arrivée du «sang des règles».

4. Il semble que la progestérone empêche le spermatozoïde de pénétrer tout ovule qui aurait pu se faufiler à travers toutes les embûches précédentes. On ne connaît pas encore le mécanisme précis mais d'après les quelques preuves que l'on a, il semble que l'action ait lieu dans l'utérus. Comme l'ovule doit être fécondé dans la trompe de Fallope, il semble que la progestérone agisse directement sur le spermatozoïde lui-même quand il traverse l'utérus, plutôt que sur l'ovule. On sait que la cellule du spermatozoïde contient des enzymes hydrolytiques qui permettent la pénétration des différentes couches entourant l'ovule. Dès qu'un spermatozoïde est entré dans l'ovule, la membrane de ce dernier s'épaissit et aucun autre spermatozoïde ne peut plus pénétrer. Il est probable que par le biais d'une modification du PH, de l'utérus, de la température ou de l'équilibre chimique, la progestérone inhibe cette propriété du spermatozoïde.

5. Dans les oviductes, les cellules ciliées, ces petites structures semblables à des poils qui facilitent les mouvements à l'intérieur des trompes, ondulent constamment dans un mouvement semblable aux contractions musculaires des parois de l'oviducte.
Cette motilité semble être affectée par les hormones artificielles qui paralysent les oviductes de telle façon qu'un ovule s'échappant de l'ovaire ne pourrait jamais rencontrer le spermatozoïde.

6. Enfin on a découvert récemment que, mis à part ses effets indirects sur l'hypotalamus, la pilule pouvait aussi affecter la capacité de l'ovaire dans sa fonction de libérer l'ovule.

En résumé, pour pouvoir remplir son rôle convenablement la pilule usurpe le rôle de l'hypotalamus, appauvrit la paroi utérine, assèche la muqueuse du col, immobilise les cellules ciliées des trompes, paralyse les spermatozoïdes et bloque les ovaires.

Et voilà, c'est tout, merci Madame!

Il n'est pas étonnant que le corps s'en ressente si fortement. Si un seul phénomène a autant de répercussions, imaginez ce que peuvent être les effets de six phénomènes différents. Bien sûr, le chiffre de six est par lui-même bien petit. Il ne tient pas compte des effets indirects — c'est-à-dire des effets non désirés et indésirables sur le métabolisme. Le métabolisme est l'équilibre collectif de toutes les activités biochimiques qui contribuent à maintenir le corps en vie. Si la pilule déséquilibre ce métabolisme de plus de cinquante façons différentes . . . Lorsque j'eus compris cela je ne pouvais plus envisager d'exposer mon corps à une telle menace.

La chirurgie

La chirurgie permet de réaliser une stérilisation définitive. Qu'il s'agisse d'une ligature des trompes pour une femme ou d'une vasectomie pour un homme, le résultat est en général irréversible. Ce fait est d'une importance capitale. En termes de contraception, c'est la plus grave décision qu'un être humain puisse prendre, une décision qui engage toute une vie.

Ce genre d'intervention chirurgicale revêt une telle importance qu'elle est devenue un sujet de législation. La stérilisation pour raisons eugéniques est obligatoire dans plus de la moitié des états américains. Ces lois ont un caractère constitutionnel depuis que la Cour Suprême a créé un précédent en 1927, lors du jugement du cas *Buck versus Bell* «Trois générations d'imbéciles, c'est assez», écrivit alors le juge Oliver Wendell Holmes.

On entend habituellement par «raisons eugéniques», les maladies mentales héréditaires, mais aussi la folie, la propension au crime et les perversions sexuelles. Ces lois sur la stérilisation obligatoire ont été appliquées plus ou moins rigoureusement depuis la création de la première d'entre elles en Indiana en 1907. Dans la plupart des cas, la procédure nécessite le jugement d'un tribunal et le consentement d'un tuteur. En fait, quelques milliers seulement de stérilisations ont été pratiquées en vertu de ces lois et leur nombre annuel diminue constamment.

Toutefois il existe d'autres cas de stérilisation involontaire et le nombre de ces cas est en augmentation. Les journaux ont parlé en 1973 de deux sœurs qui avaient été stérilisées à leur insu. Apparemment, les deux patientes ignoraient la nature de l'opération subie. Ce sont presque toujours les femmes qui sont victimes de ce phénomène; cela se produit quand elles demandent un avortement, de l'aide sociale, ou accouchent dans des établissements de l'assistance publique. Ce phénomène s'est produit si souvent qu'on lui a donné un nom «l'appendicite du Mississipi». Une organisation rattachée à celle de Ralph Nader, le «Health Research Group»[7], a découvert que dans beaucoup d'hôpitaux à travers tout le pays, on faisait souvent pression sur de nombreuses patientes, pour la plupart des femmes noires et pauvres, pour qu'elles se fassent stériliser. Parfois, on leur faisait signer une décharge pendant qu'elles étaient en train d'accoucher ou quelques minutes avant d'être transportée dans la salle d'opération pour y subir une césarienne, sans que la question ait été soulevée auparavant. Dans certains états de l'Est, le problème de la stérilisation des femmes a soulevé de violentes polémiques parce que certains tribunaux voulaient obliger les mères vivant de l'aide sociale à se faire stériliser sous peine de perdre le soutien financier de l'Etat.

En janvier 1974, le gouvernement fédéral annonça qu'il allait publier de nouveaux règlements, calqués sur les recommandations émises par le Ministère de l'Education et de la Santé au cours de l'été 1973, après le tollé général causé par les cas de stérilisation forcée dans les Etats du Sud. Quand, en février, ces règlements furent publiés, ils furent aussitôt contestés en cour fédérale tant du point de vue juridique que constitutionnel et le gouvernement retarda de trente jours l'application de ces nouvelles lois. L'issue de ce débat reste incertaine et des décisions et contre-décisions juridiques risquent de retarder considérablement l'aboutissement d'une solution satisfaisante.

Même la stérilisation volontaire est devenue une question légale dans quelques états. Deux états, l'Utah et le Kansas, ont expressément interdit la stérilisation volontaire comme moyen contraceptif. Dans l'Utah et le Connecticut, la stérilisation est autorisée seulement en cas de «nécessité médicale». Dans les autres états, la stérilisation volontaire ne fait l'objet d'aucune loi; en cas de contestation, les tribunaux utilisent des lois s'appliquant à d'autres problèmes. Le patient peut engager des poursuites pour négligence ou violence infligée à son corps par l'opération. Légalement, la chirurgie peut être considérée comme une «violence».

L'un des aspects les plus fascinants de la loi a trait à la notion de mutilation. La mutilation est définie comme étant une blessure ou lésion qui diminue à jamais la capacité d'un être humain de combattre et de se défendre et qui affaiblit sa vigueur corporelle. L'astuce est que la loi ne s'applique qu'aux hommes car, légalement, on ne conçoit pas que les femmes puissent combattre ou se défendre. Par conséquent, on ne conçoit pas non plus qu'elles puissent subir un amoindrissement de leurs capacités ou une diminution de leur vigueur corporelle. Ainsi juridiquement, une femme ne peut pas être mutilée.

Une personne a-t-elle le droit de consentir à ce qu'on lui fasse violence? Ceci est une autre question légale couramment débattue. Si la réponse est négative, est-il possible de porter plainte contre le chirurgien pour coups et blessures? On peut également spéculer sur ce que devrait être la «politique d'intérêt public» — s'il doit y en avoir une — en ce qui concerne la limitation du développement d'une race ou celle de l'espèce elle-même.

Le fait qu'un acte chirurgical aussi simple et aussi rapide puisse entraîner autant de conséquences juridiques met en relief son importance. A peine en deux fois plus de temps qu'il n'en faut pour concevoir un enfant, on peut par une simple opération, empêcher quelqu'un d'en avoir à jamais.

Selon le Groupe de Recherche sur la Santé de Nader, un million d'hommes et un million de femmes environ se font stériliser chaque année aux Etats-Unis. Il semble que les gens réfléchissent longuement à la portée de leur geste avant de se décider. Une enquête effectuée par l'hôpital du Mt Sinaï à New-York auprès de personnes s'étant faites stériliser, montrait que, quatre ans après, quatre-vingt quinze pour cent d'entre elles ne regrettaient pas leur décision. Les autres cinq pour cent ont peu de recours.

Quelques tentatives de restauration de la fertilité ont réussi mais la plupart se sont soldées par un échec. A l'occasion d'une réunion de l'«American Fertility Association»[8] en 1973 à San Francisco, l'insertion d'une soupape ou valve de plastique dans les canaux déférents était présentée comme la solution qui permettrait à l'avenir de rétablir la fertilité chez les hommes ayant subi une vasectomie, mais un autre rapport présenté lors de la même réunion montrait que, d'après une étude effectuée sur des militaires de l'armée américaine, soixante pour cent des hommes ayant subi une vasectomie réversible avaient développé des anticorps contre leurs propres spermatozoïdes; ce phénomène causait l'agglutination du sperme et empêchait sa mobilité naturelle. Par conséquent, même si la reversibilité de la vasectomie était possible et si les spermatozoïdes pouvaient de nouveau être éjaculés, cela n'impliquait pas nécessairement que la conception s'ensuivrait chez l'homme concerné. Lors de la même réunion, on avait également parlé de l'injection de silicone liquide dans les oviductes comme étant une possibilité de stérilisation réversible chez la femme. On sait que l'injection de silicone liquide dans le corps humain a déjà posé de nombreux problèmes. Par conséquent, même si pour la femme l'opération standard a été modifiée, grâce à l'introduction d'une nouvelle technique chirurgicale qui requiert simplement une cautérisation des trompes à l'entrée de l'utérus, effectuée par le biais d'une petite incision dans l'abdomen, on n'a pas encore réussi à rendre cette opération réversible. La décision d'une femme d'être stérilisée est donc définitive.

L'interruption de la conception

Le stérilet, la mini-pilule et la pilule du lendemain matin, tous interrompent le processus de la grossesse dans les quatre ou cinq jours après la conception. Ces méthodes ne peuvent être qualifiées de contraceptives au sens strict du terme car l'idée de la contraception implique la prévention de la rencontre du spermatozoïde avec l'ovule. Le fait que ces trois méthodes empêchent l'implantation de l'ovule fécondé dans l'utérus et ont par conséquent un effet instantané a tendance à atténuer le sentiment de culpabilité chez les femmes qui autrement considèrent l'avortement comme étant moralement inacceptable.

Le stérilet: on ne sait pas encore exactement comment il agit; il est possible qu'il accroisse la motilité des oviductes ce qui forcerait l'ovule à traverser le conduit plus rapidement et à arriver dans l'utérus avant que l'endomètre soit prêt à le recevoir. Ainsi, l'ovule bien que fécondé ne pourrait pas s'implanter.

Selon une enquête effectuée l'année dernière par le *National Observer*, trois millions de femmes environ utilisent actuellement un stérilet et trois autres millions l'ont essayé sans succès et abandonné.

Le stérilet risque non seulement de provoquer des crampes, des hémorragies, des perforations utérines, d'encourager les infections et faciliter la transmission des maladies vénériennes (tous risques connus), mais il a aussi tendance à être expulsé sans qu'on y prenne garde ou, même s'il reste en place, à ne pas empêcher la grossesse, ce qui peut avoir des conséquences désastreuses. D'après l'article de l'*Observer*, une femme qui tombe enceinte avec un stérilet en place a une chance sur deux de faire une fausse couche. Dans environ cinq pour cent de ces cas la grossesse est extra-utérine, l'ovule se développant dans l'oviducte ou dans l'ovaire lui-même.

Certains types de stérilet sont plus efficaces que d'autres et certains sont plus dangereux. Des dizaines de modèles différents ont été testés et la plupart ont été retirés de la circulation pour des raisons d'efficacité ou de sécurité. La forme du stérilet et la matière dans laquelle il est fabriqué ont une très grande importance. Les plus récents sont faits de plastique très malléable, enrobant une partie métallique. Le métal permet de déterminer la position du stérilet aux rayons X au cas où celui-ci se déplacerait hors de l'utérus, comme cela arrive parfois.

Le Dalkon Shield qui est le modèle le plus utilisé est fait de cuivre enrobé de plastique qui accroît sa flexibilité. Le cuivre passe dans le sang en petites quantités ce qui est rarement dangereux. Le Dalkon Shield a été retiré du marché récemment et n'est plus prescrit par les médecins. Toutefois, on recommande aux femmes qui en ont un en place de le garder sauf en cas d'ennuis.

Il y a des milliers d'années, les femmes égyptiennes furent les premières à utiliser un stérilet. Il a pris sa forme moderne vers les années 1930 et depuis, son efficacité et son innocuité se sont améliorées bien que certains problèmes médicaux n'aient toujours pas été résolus. Au premier rang de ces problèmes, on peut citer une inflammation chronique de l'utérus et une certaine calcification autour de l'appareil qui, même dans les cas les plus bénins, exige son remplacement tous les deux ou trois ans. Le corps enrobe le stérilet comme l'huître enrobe la perle et pour la même raison: assurer sa protection contre un agent particulièrement irritant.

Néanmoins, comme pour la pilule, il existe des femmes qui utilisent le stérilet et semblent en obtenir des résultats satisfaisants sans éprouver de malaises notoires. Deux tiers des femmes qui essaient un stérilet sont capables de le supporter, bien que la moitié de celles qui l'adoptent, l'abandonnent dans les deux premières années de son utilisation. Pour la deuxième moitié de ces femmes, celles qui le gardent, le stérilet est efficace à quatre-vingt quinze pour cent environ, approximativement le même taux que celui de la pilule.

La mini-pilule: mise au point récemment, c'est une variante de la pilule ordinaire qui ne contient que de la progestérone prise à petites doses chaque jour du mois. Comme celle qui se trouve dans la pilule ordinaire, la progestérone contenue dans la mini-pilule provoque l'épaississement de la muqueuse du col utérin et l'interruption du développement cyclique des cellules de l'endomètre, rendant ainsi la paroi utérine hostile à la nidation. La progestérone prise seule est extrêmement anti-œstrogénique et comporte des risques de masculinisation ainsi que d'autres problèmes chez les femmes qui ont déjà un faible taux d'œstrogènes. La mini-pilule n'est pas aussi efficace que la pilule séquentielle ou combinée et provoque toujours des irrégularités du cycle menstruel ainsi que des saignements intermittents.

Plusieurs autres versions du traitement à base de progestérone seule sont à l'étude sur une grande échelle dans d'autres pays — habituellement les pays du Tiers-Monde où les patientes sont pauvres et prolifiques. Ces traitements ne sont pas encore utilisés couramment.

Une autre version du traitement à la progestérone consiste à implanter sous la peau, généralement sous le bras ou sur la face interne de la cuisse, un minuscule coussin de progestérone entouré de plastique et appelé Silastic. Ses effets secondaires sont semblables à ceux des autres traitements à base de progestérone. Cette méthode n'est efficace que pendant un an, après quoi quelque mécanisme physique compensatoire se déclenche et on note une augmentation du taux de grossesse. La nature reprend ses droits.

Il existe encore une troisième variante qui utilise aussi la progestérone mais cette fois contenue dans un anneau de Silastic d'un diamètre semblable à celui du diaphragme; cet anneau est placé à l'intérieur du vagin où il demeure vingt et un jours du mois, pour être ensuite retiré pour permettre à une espèce de menstruation de se produire. De tous les traitements à base de progestérone seule, c'est celui qui semble avoir le moins «d'effets secondaires».

La pilule du lendemain matin (diethylstilbestrol ou DES): le DES est un œstrogène synthétique qui est en circulation depuis quarante ans environ. On s'en servait depuis des décennies pour engraisser le bétail mais en 1972, la FDA interdisait son utilisation après que des tests aient montré qu'il avait une nette tendance à provoquer le cancer chez les animaux ainsi traités;

désormais les fermiers ne pouvaient plus implanter de DES que dans les oreilles des animaux. Cette pratique elle-même est aussi remise en question.

Toutefois, la cour d'Appel des Etats-Unis à Washington, D.C. décrétait en janvier 1974 que la décision prise par la «Food and Drug Administration» (FDA) en 1973 de bannir le DES de l'alimentation du bétail était illégale et que la cause devait être jugée à nouveau. Pendant ce temps, la fabrication du DES continue et les agriculteurs continuent de l'utiliser dans la nourriture du bétail.

Depuis longtemps le DES était utilisé pour traiter les femmes qui risquaient une fausse couche ou présentaient d'autres problèmes concernant le fœtus. Depuis quelques années, on a découvert que le DES était la cause directe d'adénose vaginale et était lié à l'apparition d'adéno-cancer du vagin et du col utérin, trois phénomènes qui se produisent généralement chez les adolescentes dont les mères ont pris du DES pendant la grossesse.

Le diethylstilbestrol est utilisé depuis plusieurs années comme pilule du lendemain matin. Prise pendant cinq jours, soixante douze heures au maximum après des «relations sexuelles sans contraceptifs», le stilbestrol est efficace à cent pour cent pour interrompre la grossesse. La dose quotidienne d'œstrogènes, contenue dans cette pilule est très élevée — environ cinquante fois la quantité contenue dans la pilule ordinaire — et provoque des nausées et des vomissements graves. On ne connaît pas ses effets à long terme et on ne sait pas non plus si elle est cancérigène ou non. Elle entraîne aussi bien sûr, de nombreuses modifications du métabolisme.

Depuis novembre 1973, les fabricants de DES sont obligés d'inclure dans la boîte de pilules une notice approuvée par la FDA expliquant les bienfaits et les dangers de ce médicament.

Le DES et la mini-pilule ne sont pas les seuls contraceptifs à base d'hormones capables d'interrompre la grossesse. Une autre substance comparable aux hormones, la prostaglandine, peut arrêter la grossesse au cours du premier ou deuxième trimestre. Nous en reparlerons plus loin dans ce chapitre sous la rubrique des méthodes expérimentales.

Les obstacles à la conception

La façon la plus simple d'empêcher la conception tout en ayant des relations sexuelles est de mettre un obstacle sur le passage du spermatozoïde pour qu'il ne puisse rejoindre l'ovule. Ces méthodes sont celles qui ont le moins d'effets secondaires.

Le condom: si l'on prend pour critère le nombre des effets secondaires, le condom serait la méthode anticonceptionnelle la moins dangereuse actuellement sur le marché. Malheureusement le risque d'échec est grand et ceci pour diverses raisons. Il peut être mis en place incorrectement ou trop tard; il peut être utilisé en même temps que de la vaseline qui cause la désintégration du caoutchouc; il peut être perforé même s'il est neuf; il risque d'être enlevé incorrectement; il peut se déplacer trop tôt ou se déchirer. Toutes ces raisons expliquent pourquoi son taux d'efficacité est seulement de quatre vingt à quatre vingt dix pour cent, ce qui est inférieur à celui des autres méthodes. De plus, beaucoup d'hommes et certaines femmes critiquent cette méthode comme étant «peu naturelle» et considèrent le condom comme un obstacle au plaisir.

Le diaphragme: son objectif est le même que celui du condom. Cette méthode nécessite l'addition d'une crème spermicide car cette partie de l'anatomie féminine est plus difficile à recouvrir. Le diaphragme pose les mêmes problèmes que le condom mais la crème est si efficace que les résultats obtenus par les deux méthodes sont sensiblement équivalents. Les cas d'échecs du diaphragme (lorsqu'il est mis en place), se produisent généralement chez les femmes qui ont déjà donné naissance à plusieurs enfants de façon naturelle, parce que le vagin a alors tendance à être distendu, permettant à l'appareil de se déloger plus facilement. De plus Master et Johnson ont découvert que certaines positions au cours de l'acte sexuel, par exemple quand la femme est sur le dessus, rendent le diaphragme inefficace. De même, la pratique courante pour l'homme de se retirer plusieurs fois complètement au cours de l'acte sexuel risque de déloger le diaphragme. La crème spermicide utilisée avec le diaphragme peut aussi provoquer des réactions allergiques chez certaines personnes, les obligeant à abandonner cette méthode.

Gelées vaginales, gels, crèmes et suppositoires: utilisés seuls ou avec un diaphragme, ces produits sont introduits dans la partie supérieure du vagin. Ils contiennent un produit chimique spermicide, l'acétate phenylmercurique mélangé à une base crémeuse. Ce composé chimique et sa version plus ancienne, le nitrate phenylmercurique, sont utilisés depuis 1944 pour contrôler la fécondité humaine. C'est le spermicide le plus efficace dont on dispose et qui ait un niveau de toxicité acceptable. En fait, on ne sait pas exactement jusqu'à quel point il peut être toxique. Ce produit chimique est une sorte de mercure organique; il est absorbé par le sang et l'on peut en trouver dans les urines en quantité mesurable jusqu'à vingt quatre heures après utilisation. Cela signifie que le produit chimique a été filtré par les reins et l'on sait que le mercure peut les endommager.

L'efficacité des crèmes et des gelées est proportionnelle à la quantité d'acétate phenylmercurique qu'elles contiennent. Les produits les plus efficaces sont par ordre décroissant: les crèmes, les gelées, les gels, les suppositoires. On peut leur faire confiance de soixante cinq à soixante-quinze pour cent. Sans parler des effets à long terme, ces produits peuvent provoquer des irritations locales sérieuses chez les utilisatrices et leurs partenaires. On a signalé l'apparition d'ulcères, de cloques (ou ampoules) et de pus chez des personnes particulièrement sensibles et utilisant les marques les plus efficaces. Une brûlure chimique grave peut laisser une cicatrice indélébile.

Malgré tout cela, la recherche dans le domaine de la contraception chimique est beaucoup plus orientée vers une plus grande diffusion du produit, une diminution des coûts de fabrication et une simplification du mode d'emploi que vers la mise au point de nouveaux spermicides. L'acétate phenylmercurique agit pas inhibition des enzymes, de telle sorte que les spermatozoïdes sont immobilisés. Les détracteurs de cette méthode trouvent la base crémeuse trop grasse et se plaignent qu'elle les empêche de prendre leur plaisir. D'autres font remarquer qu'elle rend impossible le contact oral/génital. Peut-on mettre dans son vagin un produit qu'on ne mettrait pas dans sa bouche?

Mousses et tablettes: ces produits sont des spermicides que l'on dépose dans le vagin; ils contiennent un autre agent, l'acide carbonique bioxide. Les tablettes ont été utilisées jusque dans les années soixante mais leur popularité a diminué et elles ont été remplacées par les mousses en aérosols qui sont plus efficaces et plus faciles à manipuler. Ces mousses s'appliquent directement à l'aide de l'aérosol. Comme les crèmes, elles sont un moyen artificiel, peuvent provoquer des irritations et sont peu savoureuses. L'aérosol lui-même pose certains problèmes. Tout d'abord, la femme peu prévoyante risque de voir son aérosol se vider brusquement, cela se produit fréquemment avec ce genre de flacon. De plus, les effets du «milieu inerte», le Fréon qui permet au produit d'être injecté dans le vagin, sont inconnus. Cer-

tains inhalateurs fonctionnant au Fréon et utilisés par des asth-
matiques ont causé la mort de certains patients et il a été
prouvé que le responsable n'était pas l'agent actif mais le Fréon
lui-même. L'utilisation des aérosols est d'ailleurs remise en question à l'heure actuelle. Toutefois il est sans doute trop tôt pour
évaluer les effets à long terme des mousses vaginales. Leur taux
d'efficacité est d'environ quatre vingt pour cent.

Douches, atomiseurs et autres pseudo-produits d'hygiène féminine:
ils sont inefficaces en tant que spermicides; leur seul intérêt est
de rassurer la femme qui craint d'avoir une odeur désagréable.
Ils détruisent l'équilibre naturel de la flore vaginale et favorisent les infections. Les «déodorants vaginaux» sont de la mal-
honnêteté pure et la femme qui s'en sert, fait preuve d'une
triste ignorance de sa propre physiologie.

Si le vagin dégage une odeur désagréable c'est que quelque
chose ne va pas, que la femme a peut-être une infection et elle
devrait alors consulter un médecin. La vérification est facile, il
suffit d'insérer un doigt propre dans le vagin puis de le sentir.
L'odeur devrait être légèrement douceâtre. Elle l'est presque
toujours si le vagin n'est ni infecté ni «traité». Cela ne signifie
pas que les parties sexuelles de certaines femmes ne dégagent
pas parfois une certaine odeur. Toutefois, ce n'est pas le vagin
lui-même qui est responsable de cette odeur mais la région du
clitoris (qui se trouve assez éloignée de l'entrée du vagin). Le
prépuce du clitoris sécrète une substance sébacée formant des
particules blanchâtres et grumeleuses couramment appelées
smegma. Un lavage quotidien à l'eau et au savon ordinaire ne
contenant pas de détergent ou de substances antibactériennes
résolvent parfaitement ce problème. Les déodorants vaginaux
n'agissent pas au bon endroit et de plus, ils risquent, même utilisés correctement (spécialement sous forme d'aérosol), de créer
des problèmes médicaux.

Méthodes expérimentales: les chercheurs sont maintenant en
train de mettre au point, ou ont commencé à expérimenter
mais sans pousser plus loin, d'autres méthodes contraceptives
qui, dans leur essence, sont semblables à celles que nous connaissons déjà. Ces méthodes expérimentales font aussi violence au
corps, ont des effets secondaires douteux, et présentent quelques
curieuses possibilités biologiques. La plupart de ces nouvelles
méthodes utilisent des substances chimiques qui modifient l'é-
quilibre hormonal d'une façon ou d'une autre. Beaucoup d'autres représentent un espoir plutôt qu'un succès.

Le plus grand fiasco a été la pilule pour homme dont on a tant parlé, une substance chimique appelé bisdichloroacétyl diamines qui semblait offrir toutes les garanties de succès. Cette pilule n'affectait supposément aucun organe à l'exception des testicules, ne causait apparemment aucun trouble biliaire ou circulatoire, agissait en sept semaines environ et était réversible sans effets secondaires. Son action avait lieu au niveau de la mutation des cellules souches en spermatozoïdes. Des tests pratiqués pendant une année sur un grand nombre de prisonniers furent couronnés d'un tel succès que deux groupes d'hommes furent rapidement formés à New-York et à Los Angeles en vue d'approfondir les recherches. Les expérimentateurs se trouvèrent alors dans un bel embarras. Leurs patients souffraient de troubles gastriques, de vertiges — et d'une violente intolérance à l'alcool. L'ingestion d'une demi-bouteille de bière se traduisait par des yeux injectés de sang, de violentes bouffées de chaleur, une dilatation des vaisseaux sanguins, des étourdissements et des évanouissements. Il n'est donc pas étonnant que dans les deux groupes quatre vingt cinq pour cent des patients cessèrent immédiatement le traitement.

Bien pire encore, on signalait trois cas de grossesse parmi les quelques familles poursuivant l'expérience et ce, en dépit du niveau très faible de spermatozoïdes dans le liquide séminal des hommes concernés, niveau bien inférieur à celui considéré habituellement comme le seuil minimal de fécondité. La stérilité est fréquemment observée chez des couples où le spermogramme de l'homme est très bas, et on a cru pendant des années que le potentiel de fécondation d'un homme était directement lié à la quantité totale de ses spermatozoïdes. Si cela était faux, une protection efficace basée sur un produit chimique anti-spermatogénique nécessiterait l'aspermie — c'est-à-dire un spermogramme égal à zéro.

Un traitement à base d'une dose concentrée d'œstrogènes prise une fois par mois s'avérait offrir une protection insuffisante (ne put prévenir la grossesse dans cinq à sept et demi pour cent des patientes étudiées) et provoquait des irrégularités du cycle et autres troubles tels que nausées, vomissements et diarrhées. Une étude portant sur 152 femmes montrait qu'à peine deux ans et demi plus tard trente cinq seulement d'entre elles prenaient encore cette pilule. On attribua le taux élevé d'abandons à la gravité des effets secondaires. Chez certaines femmes l'ovulation ne revint pas après l'arrêt de la prise de cette pilule.

En 1972, deux chercheurs britanniques déclaraient que l'aspirine pouvait avoir une action contraceptive sur l'homme. Ils avaient découvert qu'elle contrecarrait l'action de la prostaglandine dans la prostate. On a également prouvé que l'aspirine affectait le fonctionnement du stérilet.

A la fin 1973, la FDA autorisait l'utilisation limitée de l'acétate medroxyprogestérone, lancé sur le marché sous le nom de Depo Provera. C'est le seul contraceptif injectable; il s'agit d'une progestine synthétique qui a été testée sur les hommes aussi bien que sur les femmes. Chez les femmes, elle provoque une forte carence d'œstrogènes et les symptômes habituels qui l'accompagnent (masculinisation, saignements intermittents, hyperpilosité, etc ...). Mais elle semble offrir une à deux années de protection aux femmes capables d'en supporter les «effets secondaires». La FDA a mis en garde les femmes contre le risque de stérilité quand le traitement est interrompu. Son action consiste à inhiber les fonctions de l'hypotalamus.

Chez l'homme, la Depo Provera supprime la sécrétion du sperme en agissant sur l'hypophyse par l'intermédiaire de l'hypotalamus mais là encore, on ne sait pas vraiment si le traitement est réversible ou non. Il ne faut pas non plus oublier le problème du nombre de spermatozoïdes nécessaires pour la fécondation. Si la conception peut avoir lieu même avec une faible concentration en spermatozoïdes, une simple diminution du nombre des spermatozoïdes ne peut constituer une mesure contraceptive efficace.

On utilise également la Depo Provera dans le traitement du cancer de l'utérus, bien qu'on ait découvert qu'elle était une cause directe du cancer chez les chiens. Le Comité Sénatorial de Ted Kennedy qui s'occupe des problèmes de la santé et le Centre de politiques légales et sociales émirent de vives protestations quand la FDA donna le feu vert à la mise en marché de la Depo Provera. En octobre 1974, le Secrétaire d'Etat à la Santé, à l'Education et au Bien-Etre Social, Caspar Weinberger fit obstruction à la décision de la FDA. La cause doit être entendue de nouveau.

La mise au point d'un contraceptif hormonal sans danger soulève d'immenses problèmes. Le Dr. Dolores Parelli, travaillant pour le laboratoire indépendant Merck Research Laboratories et l'un des plus grands spécialistes mondiaux de la fertilité masculine a déclaré «nous n'avons pas été capables de trouver un composé hormonal n'ayant pas d'effets secondaires graves. Les hormones sexuelles mâles peuvent être toxiques pour le foie ... en fait les hormones femelles sont quelque peu toxiques pour le foie, mais à un degré moindre».

Au cours de l'automne 1973, un médecin australien exprima l'avis que la vitamine C absorbée à fortes doses (500 mg par jour et plus) diminuait la fécondité de la femme. Le docteur M. H. Briggs de Melbourne déclarait qu'un certain nombre de ses patientes qui avaient l'habitude de prendre régulièrement de grandes quantités d'acide ascorbique pour compléter leur régime alimentaire, ne pouvaient pas concevoir. Lorsqu'on découvrit cet état de choses, l'acide ascorbique fut supprimé et elles tombèrent alors enceintes rapidement. Il fit remarquer que l'état de la muqueuse du col utérin jouait un rôle essentiel dans le processus de la reproduction et émit l'hypothèse que la vitamine C asséchait les muqueuses, réduisant ainsi la mobilité des spermatozoïdes. Suggérant que la vitamine C prise à forte dose au milieu du cycle aurait un effet contraceptif, il demanda aux lecteurs de la revue médicale anglaise *The Lancet* de lui faire part de leurs observations dans ce domaine. Deux médecins irlandais de Dublin (Wilson et Loh) lui répliquèrent qu'une certaine quantité d'acide ascorbique est toujours libérée avant l'ovulation et que la concentration en acide ascorbique des tissus baisse toujours après la conception. Ils citèrent d'autres chercheurs qui avaient prouvé que la vitamine C était essentielle à la santé de la mère et de l'embryon.

Le Dr. Briggs rétorqua qu'il était entièrement d'accord avec les deux médecins irlandais mais que leur mise au point n'écartait pas la validité de sa théorie. Il déclara également qu'il connaissait d'autres médecins qui avaient des patientes prenant de fortes doses de vitamine C sans effet contraceptif apparent — elles étaient tombées enceintes sans problèmes. Il finit par conclure provisoirement que les besoins en acide ascorbique variant d'une personne à l'autre, la vitamine C aurait un effet contraceptif sur certaines femmes et pas sur d'autres. Cela dépendait du surplus ingéré par rapport aux besoins. Cet éventuel surplus serait sécrété et assècherait le tissu des muqueuses.

Dans le domaine de la contraception, des recherches intéressantes sont effectuées concernant l'effet de la température sur le scrotum. Toute modification de la température des testicules a une action prononcée sur la production des spermatozoïdes et par conséquent de leur nombre. Des chercheurs de la Rock Reproductive Clinic à Brookline, Massachusetts (Robinson,

Rock, Menkin), ont découvert qu'en réchauffant le scrotum, le spermogramme diminuait tandis que ce dernier triplait en cas de refroidissement du scrotum. L'efficacité de cette méthode est indiscutable mais son application pose de tels problèmes qu'on ne peut l'envisager comme solution à long terme. D'autres recherches en cours concernent l'interruption de la grossesse par des méthodes qui agissent quelque temps après la conception et qui pourraient éventuellement remplacer les formes actuelles de l'avortement telles que le DC (dilatation et curetage) ou l'avortement par succion.

Les chercheurs orthodoxes ont surtout concentré leurs efforts sur l'étude des prostaglandines, un groupe d'acides gras hydrosolubles poly-insaturés tout d'abord découverts dans le sperme et que l'on croyait être sécrétés par la prostate. Plus tard, ils furent aussi découverts dans le sang des règles et dans l'endomètre ainsi que dans de nombreux autres tissus du corps humain. Les prostaglandines ont sur l'utérus une action à la fois stimulante et inhibitrice. Elles peuvent être administrées par voie intraveineuse ou orale pour déclencher l'accouchement et par voie intraveineuse ou intra-utérine pour provoquer l'avortement. Au cours de l'automne 1973, Mocsary et Gsapo rapportèrent qu'ils avaient utilisé deux prostaglandines synthétiques pour faire venir les règles quand il existait un retard de dix à douze jours. Karim déclarait avoir obtenu les mêmes résultats. Toutes les femmes avortèrent mais plusieurs d'entre elles souffrirent d'effets secondaires. Cette méthode a sur le curetage (D et C) l'avantage de provoquer la dilatation du col utérin. Les femmes sur lesquelles on pratique la dilatation et le curetage (D et C) (en particulier lorsqu'il s'agit d'une première grossesse), ont tendance au cours de grossesses ultérieures à accoucher prématurément; la dilatation et le curetage (D et C) peuvent pour ainsi dire, rendre le col utérin «incompétent».

L'immunologie, tout d'abord étudiée au début des années 1900 et qui connaît à présent un regain d'intérêt, constitue une approche totalement différente en matière de contraception. L'idée de base consiste à sensibiliser l'ovule ou le spermatozoïde de telle façon qu'ils ne puissent vivre assez longtemps pour se rencontrer. L'homme pourrait être sensibilisé à ses propres spermatozoïdes si bien que ceux qu'il produirait seraient détruits par ses propres anticorps avant même qu'ils aient quitté l'organisme. La femme peut être sensibilisée aux spermatozoïdes d'un individu spécifique. Dans ce dernier cas, chaque rapport sexuel entre les deux partenaires relancerait l'activité des anticorps si bien que l'effet contraceptif serait renforcé lors de chaque coït. Ce système exige que la femme soit monogame, mais son efficacité est constante. Cette méthode semblerait être la plus raisonnable et la plus sûre pour manipuler les processus organiques. On peut toutefois se demander si elle est vraiment applicable et si elle ne présente pas des risques de cancer. On apprend chaque jour quelque chose de nouveau sur les implications des processus immunologiques dans le développement du cancer. Toutefois on ne possède pas encore toutes les données et en attendant, il est plus sage de ne pas intervenir dans le fonctionnement des mécanismes naturels d'immunité de l'organisme.

Actes de volonté

Les autres méthodes anticonceptionnelles ne sont pas très satisfaisantes et ce pour toutes sortes de raisons.

Deux d'entre elles son des «remèdes de bonne femme» qui sont malheureusement inefficaces. L'une est fondée sur la croyance que si une femme n'a pas d'orgasme, elle ne peut tomber enceinte. Ceci est une variante du vieux mythe qui veut que les meilleurs remèdes sont ceux qui font souffrir le plus. En fait il n'existe pas de lien obligatoire entre l'extase et la fécondité. Une autre opinion erronée est basée sur l'idée qu'une femme qui nourrit son enfant au sein ne peut ovuler. En fait, dans ce dernier cas, il est possible que la femme devienne féconde dans les six semaines après l'accouchement. Comme l'ovulation précède toujours la première menstruation après l'accouchement, il n'y a aucun moyen d'en connaître la date.

Deux autres méthodes aux bienfaits douteux impliquent le contrôle de l'homme sur son corps. Le *coitus interruptus* est aussi vieux qu'Onan qui arrosa le sol de son sperme plutôt que de rendre sa belle-sœur enceinte. Dans le langage courant, on dit «faire attention» en parlant de cette pratique. Non seulement cette méthode réduit-elle considérablement le plaisir de l'acte sexuel, mais elle n'est pas non plus entièrement efficace car plusieurs spermatozoïdes sont libérés avant l'éjaculation — cela peut arriver à tout moment pendant que le pénis est en érection — et l'ovule n'a besoin que d'un seul spermatozoïde pour être fécondé. Ceci est particulièrement important surtout quand on connaît les résultats des essais effectués avec la pilule masculine dont on a parlé plus haut.

Le *coitus reservatus* est une forme spéciale de torture qui veut que l'homme, au moment même de l'orgasme, se retienne d'éjaculer. Ceci est physiquement possible avec de la pratique, mais aussi très difficile, et il est compréhensible que la plupart des hommes soient peu désireux d'apprendre. Le sperme reflue vers les vésicules séminales d'où il passe dans le sang. Cette pratique peut être douloureuse et peut aussi endommager la prostate. De plus, elle n'est même pas efficace en tant que moyen contraceptif, pas plus que le coït interrompu et pour les mêmes raisons.

Les deux dernières méthodes pour éviter la conception consistent à déterminer la date de l'ovulation et à ne pas avoir de relations sexuelles à ce moment-là. Ce moyen est le plus sûr et le plus logique, du moins en théorie.

Un médecin tchécoslovaque prétendit qu'il avait extraordinairement bien réussi à prédire le moment de l'ovulation à l'aide de l'analyse par ordinateur de la position de la lune à la naissance. Il était persuadé que la période de chaque mois où la lune se trouvait dans cette position coïncidait avec le moment où la femme était féconde. Il déclara que la méthode qu'il préconisait pour prédire le moment de l'ovulation avait un taux d'efficacité très élevé et deux livres basés sur ses découvertes ont été publiés dans ce pays. Mais il y a un problème: sa méthode contraceptive demande jusqu'à dix-huit jours d'abstinence par mois. De toute évidence, cette méthode est strictement pour ceux qui ne prennent pas grand plaisir aux relations sexuelles.

L'autre variante, la méthode du rythme, remonte loin dans l'histoire. L'idée d'une période «sûre» existait chez les Babyloniens, les Grecs et dans bien d'autres sociétés de l'Antiquité. Cette idée est devenue la base d'un «système» vers le début du siècle. Le premier à proposer son propre système était un Allemand, Gapellman, qui pensait avec raison qu'il existait une période sûre, mais avait une notion erronée du moment où elle se produisait. La période du mois que Capellman croyait sûre comprenait en fait celle où la femme est féconde.

Au début des années 1930, le Pape Pie XI endossait la méthode du rythme dans son encyclique *Casti Connubii*. Peu de temps après, Ogius au Japon et Knaus en Autriche, travaillant indépendemment, déclaraient que l'ovulation précédait la menstruation de quatorze jours environ et que les différences de durée du cycle dépendaient des irrégularités entre l'ovulation et la menstruation. La véracité de ces déclarations est à présent remise en question. Knaus donna les grandes lignes de la méthode telle qu'elle existe aujourd'hui à quelques détails près. D'après ce système, la femme devait marquer le moment et la durée de sa menstruation tous les mois pendant un an. En supposant qu'elle n'était pas déjà enceinte à ce moment-là, on pouvait prédire ses périodes fécondes et retrancher un certain nombre de jours de chaque cycle. Cette méthode n'était pas très efficace non plus mais c'était une amélioration par rapport à celle de Capellman.

Une variante plus récente de la méthode de Knaus utilise la température corporelle de base (t.c.b.) pour prédire l'ovulation. Cette méthode est connue sous le nom de «méthode sympto-thermique» ou plus couramment «méthode des températures». La femme doit prendre sa température tous les matins à la même heure avant de se lever et la marquer sur un graphique. A cause d'une baisse sensible de température juste avant et pendant l'ovulation et d'une hausse encore plus marquée après l'ovulation, il est possible de savoir quand cette dernière se produit. Malheureusement, comme on ne connaît la date de l'ovulation qu'après qu'elle se soit produite, si elle prend place avant la date prévue, la femme est prise de court. De plus, toutes les femmes ne se lèvent pas à la même heure tous les matins et ce n'est pas toujours pratique pour elles de prendre leur température à ce moment-là.

Même en tenant compte des raffinements les plus récents, le taux d'efficacité le plus élevé que la méthode du rythme puisse offrir est d'environ quatre-vingt-cinq pour cent et ce pour «des femmes rigoureusement sélectionnées et instruites avec soin, et qui ont, ainsi que leurs maris, de l'intelligence et une forte détermination» (Tietze).

Par conséquent, le contrôle des naissances ne contrôle pas réellement les naissances. On obtient seulement une diminution du taux de natalité au prix d'une manipulation grossière des processus physiologiques. La seule méthode qui tienne compte du fonctionnement normal de l'organisme et ne nécessite ni onguents ou instruments est la méthode du rythme. Mais cette méthode n'est pas sûre parce que l'ovulation ne se produit pas toujours à un moment prévisible.

Je décidai que je ne voulais absolument pas pratiquer le «contrôle des naissances». Ce que je voulais, c'était trouver un moyen de mettre mon corps en harmonie avec la nature en me familiarisant avec son rôle. Peut-être, pourrais-je alors découvrir quand l'ovulation allait se produire. Si je pouvais savoir cela d'avance, tout le reste de l'attirail médical ne serait plus que débris historiques.

Mais si ce n'était pas «contrôle», alors qu'était-ce?

---

[1] D'après N. B. Ryder, la pilule a un taux d'échec de six pour cent en moyenne.

[2] Les risques étaient plus élevés en Grande-Bretagne qu'aux Etats-Unis, peut-être à cause du pourcentage plus élevé de groupes sanguins autres que le groupe O dans la population britannique. Les groupes sanguins A, B et AB sont plus susceptibles de développer des thromboses que le groupe O.

[3] Il faut compter au moins vingt ans à partir de la date des débuts de sa vente commerciale pour savoir si la pilule a un rôle dans le développement du cancer car c'est seulement au bout d'une telle période que les effets d'un produit cancérigène peuvent être décelés s'il y a lieu dans un accroissement du nombre de cas de cancers. Le taux des cancers du sein et le taux de mortalité sont restés stationnaires depuis les années trente; ces éléments seront de bons indicateurs en vue d'une vérification aux environs de 1980.

[4] Soumettre un bébé à l'effet d'hormones sexuelles constitue un risque sérieux. Les garçons en particulier sont susceptibles de dérangements glandulaires sérieux et peut-être permanents sous l'action d'hormones femelle.

[5] Et, comme dans mon cas, des grosseurs aux seins également.

[6] Agence fédérale américaine pour la protection des consommateurs.

[7] Groupe de Recherche pour la Santé.

[8] Société Américaine de la Fertilité.

Chapitre 4

La féminité
dans diverses sociétés

*«Elles sont impures; par conséquent éloignez-vous
des femmes menstruées et ne vous approchez pas d'elles jusqu'à ce qu'elles soient purifiées».*

Le Coran

*«Le flux menstruel peut être un facteur de transmis-
sion des maladies du sang en général ... En supposant que l'écoulement menstruel soit de nature infec-
tieuse, l'efficacité de ce mode de transmission serait
extrêmement sensible à l'intervention de facteurs
culturels.»*

The Lancet, *7 avril 1973.*

Les valeurs culturelles prédominantes de notre société sont dirigées vers la conquête, le succès, la réussite sociale, la domination. Aussi, bien qu'il me fut facile de décider que je voulais changer ma perspective personnelle par rapport au cadre de référence habituel, il était plus difficile de trouver une approche nouvelle d'un point de vue médical à la façon dont je me voyais, dont je voyais les autres et mon environnement.

Ce n'est qu'après avoir lu *L'adaptation de l'homme* du biologiste René Dubos que je commençai à réaliser que pour arriver à comprendre, il me fallait me détacher de ma situation personnelle et envisager la fécondité et la contraception dans une perspective plus vaste, au niveau de l'espèce en général.

Dubos parle de l'histoire de la médecine en des termes bien différents de ceux auxquels nous sommes habitués de nos jours. Depuis le début de l'histoire de la médecine et jusqu'à relativement récemment, être en bonne santé consistait à vivre en harmonie avec son environnement. Toute la perspective médicale a subi un revirement complet. Alors qu'auparavant on travaillait à des fins positives, on lutte à présent contre des effets négatifs. Nous agissons désormais selon notre bon plaisir, en dépit de l'environnement, et nous payons les médecins pour réparer les dégâts.

Pour être en harmonie avec notre environnement actuel, il nous faudrait subir une évolution instantanée qui nous donne des poumons de cuir et des estomacs d'acier, ou accepter de vivre comme un pauvre ermite. Comment puis-je savoir si ce que je fais à mon corps lui convient ou non? Parfois, même tout en connaissant le prix de mes actes, je peux décider malgré tout de le payer.

J'ai découvert quelques points de repères sûrs et utiles, quelques questions à me poser avant d'agir: l'espèce et la race ont-elles évolué en faisant cela? Sinon, quels retentissements une telle action aura-t-elle sur moi?

Se poser sans cesse ces deux questions à propos des activités banales de la vie quotidienne donne naissance à de nombreuses réflexions. Chaque jour, chacun d'entre nous se livre à des dizaines d'activités totalement inconnues de nos ancêtres lointains.

Nous voyageons, enfermés dans des boîtes de métal et de plastique à des vitesses beaucoup trop élevées pour nos réflexes.

Nous nous fatiguons les yeux à lire et à regarder la télévision, deux tâches pour lesquelles ils n'étaient pas conçus.

Nous consommons des aliments qui n'ont aucune valeur nutritive et nous buvons trop.

Nous allons vivre souvent très loin des systèmes écologiques des régions qui ont vu l'évolution de nos ancêtres.

Nous utilisons, sans savoir ce qu'ils contiennent, des savons, des crèmes, des onguents pour l'entretien de la vaisselle et des ustensiles de cuisine et aussi pour les soins du corps.

Nous changeons brusquement d'heure, de climat ou d'altitude.

Notre corps absorbe des radiations, des produits chimiques, des vibrations, des impulsions électroniques, tous artificiellement créés par l'homme.

Nous raffinons au maximum beaucoup de produits, les réduisant à leur plus élémentaires substances, et même les synthétisants (le sucre, la vodka par exemple), avant de les consommer.

Nous vivons à l'intérieur de cellules sociales minuscules, elles-même enfermées dans des structures de béton, de verre, d'acier et de plastique qui sont autant de bastions destinés à nous protéger d'un monde surpeuplé et composé de milliers de cellules semblables.

Nous sommes toujours pressés.

Nous devons supporter des bruits pour lesquels nos oreilles ne sont pas équipées.

Nous rencontrons tellement de gens chaque jour dans notre vie sociale que nous sommes obligés de jouer plusieurs rôles.

Pour «gagner notre vie», nous accomplissons chaque jour des tâches abstraites (travaux d'écriture par exemple), sans en être immédiatement récompensés (le chèque de paie la semaine suivante).

Nous modifions notre environnement de façon à le rendre conforme à certaines normes (ex: les écoles sans fenêtres pour que les élèves n'aient pas de distractions).

Nos chefs et nos criminels nous sont étrangers. De même que les gens qui nous parlent d'eux.

Quels étaient les effets de tout cela sur ma personne? Je ne pouvais me comparer qu'aux êtres humains qui n'étaient pas coupés de leur héritage génétique comme je l'étais.

Je devins tout particulièrement intéressée à l'attitude qu'avaient les peuples des cultures non-occidentales vis-à-vis de leur corps, de leur sexualité et de leur fécondité, pensant qu'ils auraient peut-être quelque chose à m'apprendre. Je me plongeai donc à fond dans l'anthropologie. Après avoir lu dans les livres d'anthropologie ce qui avait trait à la reproduction, mon impression générale se traduisit par un sentiment très fort de cohésion et de continuité. C'était rassurant; une véritable prise de conscience.

La science, la technologie, le village global ne sont qu'incident réel de nos vies. Les options fondamentales demeurent toujours les mêmes: se marier ou non, avoir des enfants ou non, gagner sa vie d'une façon ou d'une autre, avoir une certaine conception du monde, voir et traiter autrui d'une manière ou d'une autre, continuer de vivre ou mourir.

A l'intérieur de chaque option fondamentale, le choix est immense, mais le cadre lui-même est éternel. Nous choisissons aujourd'hui, comme les humains l'ont toujours fait, un compagnon, une demeure et un style de vie, une façon d'élever nos enfants et une manière de traiter nos voisins, les moyens de payer tout cela, et un rêve pour nous permettre de continuer. La science, la technologie, etc. sont seulement des mécanismes particuliers destinés à nous faciliter les choses. Ils ne sont pas indispensables.

L'anthropologie en tant que discipline universitaire n'a que cent ans environ. Pendant les cinquante premières années les théoriciens de fauteuil ont fait autorité; ils basaient leurs écrits généralement sur les lettres et les livres des voyageurs, le plus souvent des missionnaires. Ayant peu de documents sur lesquels travailler, ils s'adonnèrent surtout à la spéculation.

De nos jours, par contre, exactement le contraire se produit. Si l'on examine l'énorme quantité de littérature qui constitue l'anthropologie moderne, on la trouve bourrée de faits mais pauvre en idées générales. Il n'est pas de bon ton de nos jours, de faire des généralisations. Quelqu'un se présente avec une exception et on se trouve couvert de ridicule.

Toutefois, un nombre suffisant de faits ont été rassemblés pour que l'on puisse en tirer des conclusions générales sans trop de risques et quelques braves anthropologistes s'y sont hasardés.

Ces professionnels qualifient leurs travaux d'«études culturelles comparatives». G. P. Murdock, W. N. Stephens, M. F. A. Montagu, B. P. Whiting et Margaret Mead sont parmi les spécialistes les plus éminents dans cette branche et les renseignements contenus dans les pages suivantes sont tirés de leurs travaux (sauf indication contraire).

Certaines coutumes peuvent avec certitude être considérées comme universelles. Elles concernent en général les relations entre l'homme et la femme, les parents et les enfants, et la sexualité. Les faits suivants s'appliquent à la plupart des sociétés:

Le tabou de l'inceste existe partout sous une forme ou une autre.

Une mère doit être mariée et vivre dans la même maison que ses jeunes enfants.

Une forme ou une autre de division du travail est établie en fonction du sexe pour certains travaux.

Les femmes ont rarement plus de prérogatives et de pouvoir que les hommes bien que parfois les responsabilités et l'autorité soient partagées également avec eux.

Entre certains membres d'une même famille, le nom personnel n'est pas utilisé.

Un tabou ayant trait à la menstruation — c'est-à-dire des coutumes voulant que les hommes évitent tout rapport avec les femmes menstruées à cause de la croyance concernant les propriétés dangereuses du flux menstruel — est pratiquement universel.

La quasi-universalité de ces coutumes n'est pas forcément une preuve de leur nécessité mais une telle uniformité est toutefois impressionnante et mérite notre attention et considération.

La famille, sous une forme ou une autre, est l'une de ces constantes presque universelles. On remarquera cependant qu'il n'est mentionné nulle part dans la liste ci-dessus que l'homme et la femme doivent obligatoirement vivre ensemble.

Pour que l'espèce puisse se perpétuer, la société doit protéger la mère et l'enfant. Après tout, si un garçon ou une fille normaux à la naissance parviennent à l'âge de la maturité sexuelle, ils n'ont qu'un moyen d'influencer l'avenir de l'espèce humaine, c'est de concevoir ou non une autre génération. Et c'est la femme qui finalement, doit prendre cette décision.

Certains anthropologistes, dont Margaret Mead, ont souligné que l'existence de la famille était une conséquence logique de la condition humaine. Chez les pré-homirés comme chez d'autres animaux, l'activité sexuelle est liée au cycle de la femelle; le mâle ne l'intéresse que lorsqu'elle est prête à le recevoir — c'est-à-dire quand elle est en période d'ovulation. Dans l'espèce humaine, le mâle est capable d'avoir des relations sexuelles avec une femme dans un état d'excitation relativement faible, encore qu'elle puisse, et elle le fait fréquemment, l'empêcher de la prendre à moins qu'il ne s'impose à elle par force.

Dans la plupart des familles humaines, la femme se départit, du moins partiellement, de son droit de refuser les relations sexuelles en échange d'une certaine sécurité pour elle-même et sa progéniture. C'est donc une invention sociale extrêmement importante pour la conservation de l'espèce. On a également quelques preuves qu'il reste chez l'être humain des vestiges du cycle de réceptivité sexuelle que les animaux possèdent en commun; la femme a tendance à être plus réceptive certains jours du cycle alors que d'autres fois, elle ne témoigne d'aucun intérêt pour l'acte sexuel. La différence qualitative entre l'homme et l'animal réside dans le fait que l'idée d'une femme repoussant les avances d'un homme à certains moments au cours du mois, a pris le caractère d'un principe général.

C'est ici qu'intervient le tabou quasi-universel de l'abstinence pendant la menstruation. D'après certains anthropologistes de la même école, les femmes auraient élevé au rang de principe leur rejet des avances du mâle créant ainsi le premier tabou universel de l'histoire de l'humanité. (voir Robert Briffault, J. J. Bachofen, M. Esther Harding, E. G. Davis, Helen Diner). Qu'il ait été ou non le premier tabou, on le retrouve presque partout. Notre société occidentale et chrétienne est une exception majeure, quoique la disparition de ce tabou soit récente et ne s'applique pas à tous les membres de la société.

Dans d'autres cultures, la violation du tabou de la menstruation est censée avoir provoqué des catastrophes aussi nombreuses que variées. Briffault en donne une liste de vingt cinq pages tout en indiquant qu'il ne s'agit là que d'une partie. La mort était fréquemment citée comme une des conséquences résultant du contact avec le sang menstruel mais ce dernier était censé avoir causer bien d'autres répercussions: les plantes mouraient dans les champs et les poissons dans l'eau, les miroirs se ternissaient et l'échine des chevaux se brisait. Cette arme féminine semblait si puissante que certaines sociétés en tiraient profit en envoyant les femmes menstruées dans les champs cultivés afin qu'elles détruisent toute chenille, sauterelle ou ver qui se trouvaient à proximité. L'utilisation d'une femme qui a ses règles comme pesticide, c'est quelque chose qu'on ne trouve pas dans *Organic Gardening*[1].

Dans *Le deuxième Sexe*, Simone de Beauvoir cite un article paru dans le *British Medical Journal* en 1878 qui affirme: «Il est indiscutable que la viande s'abîme si elle est touchée par une femme menstruée». En Europe de nos jours, les gens du peuple croient qu'une femme menstruée peut, en les touchant, faire noircir le sucre, faire tourner la mayonnaise, empêcher le cidre de fermenter, avoir un effet néfaste sur le lard en salaison, faire tourner le vin en vinaigre et faire aigrir le lait.

Les anciens avaient la même faculté de raisonner que nous. Par contre, ils ne possédaient pas une notion claire des liens de cause à effet entre divers événements. (Nous nous plaisons à croire que nous la possédons aujourd'hui, mais la question se pose toujours). Malgré tout, la magie et la science sont toutes deux fondées sur l'idée qu'il existe une certaine organisation dans l'univers; toutes deux essaient de découvrir en quoi consiste cette organisation en déterminant l'existence de liens entre des choses qui sont différentes superficiellement. Les hommes, les anciens comme les modernes, ont toujours cherché des modèles en toutes choses et lorsqu'ils ont découvert une forme de comportement qui a fait ses preuves par le passé, ils l'adoptent définitivement; il est évident que cette attitude a un rôle important dans la préservation de l'espèce. La vie devient alors une application constante de certaines recettes que l'on sait nécessaires en vue d'obtenir certains résultats.

Du haut de notre perspective «éclairée», il est facile de rire de tous ces tabous. Comment une telle idée a-t-elle pu germer et pourquoi donc est-elle si universellement répandue? Tous les interdits tels que celui contre les relations sexuelles pendant les règles ont dû au départ être imposés de façon directe et catégorique, c'est-à-dire être présentés aux gens comme une nécessité incontestable, dictée non pas par l'autorité humaine mais par quelque condition naturelle fondamentale. Le fait que ce tabou existe presque partout donne à penser qu'il était justifié au départ par une raison valable et la perception d'un besoin véritable. Compte tenu de l'étendue de nos connaissances actuelles, nous pouvons peut-être supposer que tous ces gens étaient ignorants. Mais nous ne pouvons pas croire qu'ils étaient stupides.

Lederer mentionne plusieurs études biochimiques qui ont montré récemment que toute cette sottise apparente pouvait après tout être de la sagesse. L'étude dont j'ai parlé au début de ce chapitre découvrit que certaines maladies contagieuses pouvaient en théorie, être transmises par le sang des règles. D'après Lederer, plusieurs biochimistes ont découvert une substance qu'ils appellent ménotoxines et qu'ils croient être des protéines mal assimilées par le métabolisme — à cause d'un mauvais fonctionnement du foie pendant la menstruation. Ces ménotoxines semblent être la cause de troubles chez les enfants nourris au sein quand la mère a ses règles, et peuvent causer la mort des rats à qui on les injecte. Lederer admet avec gêne — pourquoi est-il gêné? — qu'il a lu un rapport prouvant que certaines émanations provenant de certaines femmes ayant leurs règles font se fâner les fleurs. En fait, une histoire de bonne femme prédit qu'une fleur au corsage d'une femme menstruée se fâne très vite.

Pour aussi bizarres que les pratiques de certains peuples puissent nous paraître, leurs recettes d'un comportement acceptable peuvent être considérées comme étant efficaces si elles permettent d'atteindre un but spécifique et nécessaire. Certaines de ces recettes sont vraiment merveilleuses. Qui peut distinguer celles qui ne sont que sottises de celles qui sont une preuve de sagesse? Ce qui importe c'est qu'elles accomplissent ce qu'on leur demande.

Un exemple classique et plutôt extrême vient de chez les Woego de Nouvelle-Guinée. Hogbin qui les, a étudiés extensivement, appelle la région où vit ce peuple, «l'île des hommes menstrués».

Pour les Woego, le monde est un endroit plein de contra-
dictions où le plus grand plaisir de la vie, les relations sexuelles,
est celui qui coûte le plus cher. A leur point de vue, le problème
majeur est que les sexes se polluent mutuellement. (L'idée que
la femme pollue l'homme est commune en Nouvelle-Guinée
mais c'est seulement les Woego et les Arapesh qui pensent que
l'homme aussi peut polluer la femme). Les Woego pensent que
leur société tout entière souffre de cette contamination qui
cause la malchance et les maladies. L'idéal serait, pensent-ils,
que les sexes soient complètement séparés mais personne ne
croit qu'il est possible de réaliser un tel idéal. En effet, les
enfants mourraient sans leur mère et mari et femme sont interdépendants économiquement. Plus important encore, les adultes ont un instinct sexuel très fort qu'ils ne peuvent contrôler
que brièvement et de façon intermittente, et cela très difficile-
ment. L'acte sexuel donne beaucoup de plaisir et il n'a rien
d'immoral, mais on ne peut nier le fait qu'il soit dangereux. Il
faut être prêt à payer le prix.

Les Woego ont bien sûr, des mécanismes sociaux destinés à
résoudre ce problème de pollution mutuelle sans quoi la situation serait devenue impossible il y a longtemps. La première
solution consiste en réalité, à minimiser le problème: les hommes et les femmes font très attention de ne pas toucher les parties génitales de leurs partenaires, et ils prennent un bain —
séparément — immédiatement après l'acte sexuel. De plus, la
nature a prévu une solution pour les femmes. Elles sont purifiées périodiquement par le processus physique normal qui est
celui de la menstruation qui fait que les substances causant la
contamination s'échappent du corps d'elles-mêmes. Le processus a un effet désinfectant mais le sang lui-même est du poison.

Une femme menstruée doit rester à la maison et ne peut
passer par la porte quand elle sort pour uriner ou déféquer. Au
lieu de cela, elle doit dans ces moments-là entrer et sortir par
un trou pratiqué dans le sol ou dans le mur. Elle ne peut pas
non plus toucher qui que ce soit car si elle le faisait, la personne
mourrait. Elle n'accomplit pas ses tâches ménagères ou agri-
coles habituelles car tout ce qu'elle touche est contaminé et
personne ne mangerait ce qu'elle aurait préparé. Pendant la
menstruation, elle suit un régime alimentaire qui est un jeûne
modifié et le peu qu'elle mange, elle le cuisine elle-même dans
des ustensiles à part. Elle ne peut porter ses mains à la bouche
ou même toucher son propre corps. Quand elle mange ou elle se

gratte, elle doit le faire avec un instrument. Elle porte aussi une jupe spéciale pour qu'on puisse la reconnaître et éviter ainsi de l'approcher par erreur. Inutile de dire qu'elle ne s'adonne à aucune activité sexuelle pendant ce temps-là.

Juste après l'accouchement, la femme perd aussi du sang et les Woego pensent que cette accumulation d'impuretés de neuf mois est si importante que la femme doit passer un certain temps après la naissance dans une hutte spécialement construite à cet effet et située loin du village. Bien qu'elle ne puisse dormir avec son mari pendant la grossesse, elle prépare ses aliments et ils passent du temps ensemble. La période d'isolation qui suit les couches est beaucoup plus longue que celle de la menstruation. Elle ne peut retourner chez elle jusqu'à la pleine lune suivante. A ce moment-là, elle démolit la hutte et la jette dans l'océan.

Les hommes sont dans une situation encore plus délicate. Ils n'ont pas une solution pratique comme celle de la menstruation et par conséquent doivent littéralement prendre la situation en main. Tandis que d'autres prient pour leur âme, les Woego saignent pour leur santé. C'est-à-dire qu'ils créent une version masculine de la menstruation en faisant une entaille dans leur pénis jusqu'à ce que le sang coule.

On ne demande pas aux hommes d'avoir «leurs règles» chaque mois mais l'idée qu'ils devraient les avoir «assez régulièrement» est couramment acceptée; le but désiré est de ne pas laisser s'accumuler leurs impuretés pendant trop longtemps. En pratique, comme pour ceux qui croient à la prière, ils ont tendance à repousser l'épreuve jusqu'à ce que quelque chose aille mal ou qu'un événement important se prépare. Aucun guerrier ne partirait pour un raid, aucun marchand ne se fabriquerait un canoë, et aucun chasseur ne commencerait à se tisser un nouveau filet pour ses pièges sans «avoir ses règles» d'abord.

L'opération elle-même est hautement ritualisée. Tout d'abord, l'homme doit capturer un crabe ou une écrevisse et couper une pince. Le jour venu, il ne mange rien de toute la journée. En fin d'après-midi, il prend quelques feuilles médicinales calmantes et la pince du crustacé capturé et emporte le tout sur une plage déserte. Il se déshabille et entre dans l'eau jusqu'aux genoux. Là, debout, les jambes écartées, toujours face à la mer, il crée sa propre érection, expose le gland de sa verge et y fait une entaille avec la pince du crustacé d'abord du côté gauche, puis du côté droit. Il ne doit pas laisser tomber une seule goutte de sang sur ses mains ou sur ses jambes.

Quand la coupure commence à être sèche et le sang ne rougit plus l'eau, il se retourne et revient vers le rivage (tout doucement sans aucun doute); il enveloppe son pénis dans les feuilles médicinales, s'habille et retourne à la maison des hommes. Il reste là deux ou trois jours, se gardant au chaud et observant certains tabous alimentaires tout comme le fait une femme pendant la durée de ses règles. Il ne peut toucher personne au risque de mourir. Ensuite il peut rentrer chez lui mais les relations sexuelles sont interdites jusqu'à la pleine lune suivante. De toute manière, il aura mal pendant quelques temps.

Alors, que résulte-t-il de toutes ces «sottises»? Beaucoup, en fait. Par exemple, les restrictions imposées à la femme en l'isolant assurent également l'isolation des menotoxines ou tout autres germes contagieux du sang qui autrement se trouveraient propagés. Si le foie fonctionne mal pendant la menstruation, le jeûne qui fait partie du rituel d'isolation ne peut qu'être bénéfique. Comme elle ne fait pas son travail habituel pendant la menstruation, cela permet aux membres de sa famille d'apprendre à se débrouiller tout seuls et en même temps, parce qu'ils doivent accomplir ses tâches, d'apprécier la valeur et l'importance de son rôle. De plus, cela lui permet de se reposer. La période d'après les couches qu'elle passe dans la hutte à l'écart du village, non seulement atteint le même but mais renforce également le lien entre la mère et l'enfant et par l'observance des cycles lunaires, leur relation à tous deux avec l'environnement. L'océan disperse les poisons de la mère.

Le rite masculin, bien qu'il soit moins fonctionnel dans l'immédiat a malgré tout plusieurs avantages du point de vue social. L'homme a la satisfaction de remplir son devoir spirituel et l'occasion de se préparer mentalement pour la tâche qui l'attend. Ses liens avec les autres hommes du village sont consolidés par le fait qu'il reste quelque temps à la maison des hommes et sa relation avec le cosmos est respectée par sa propre observance des cycles lunaires.

K. E. Paige rapportait qu'il était démontré dans une étude que les sociétés les plus rigides, avec le plus haut degré de solidarité masculine, avaient les plus stricts tabous de menstruation. D'après les recherches effectuées sur un échantillon de 114 sociétés, Paige elle-même pensait que les tabous ayant trait à la menstruation reflétaient l'importance que place une société sur la stratification basée sur les sexes et que ces tabous et leurs rites permettaient de contrôler les femmes et leur fécondité.

D'autres anthropologues ont suggéré que les femmes elles-mêmes contribuaient à la continuation de ce tabou parce qu'il leur était utile. Même aujourd'hui, toute femme veut pouvoir être libre de refuser l'activité sexuelle si elle le souhaite et une pratique sociale qui consolide cette liberté est tout à fait à son avantage.

Si l'abstinence sexuelle périodique était un des buts du tabou, on s'attendrait à trouver d'autres mécanismes sociaux destinés à le consolider. Il se trouve en fait qu'il existe un autre mécanisme qui lui aussi, a ses origines dans une force naturelle — la crainte et la révérence universelle de la lune.

La force du tabou de la menstruation s'est trouvé énormément augmentée par la connexion faite entre le caractère merveilleux des facultés reproductrices de la femme et celui, merveilleux lui-aussi, de la présence de la lune dans le ciel. Qui pouvait ignorer le fait que la lune et le corps de la femme dansaient au même rythme? Il devait y avoir, pensa-t-on, quelque lien mystérieux mais certain entre les deux.

Je trouvai des centaines d'allusions différentes concernant les liens possibles entre la femme et la lune et aussi entre la menstruation et la lune. Aussi loin que l'on puisse remonter historiquement, ce lien entre la femme et la lune est l'objet d'une croyance universelle.

Depuis pratiquement l'origine des temps, la lune était considérée comme une influence puissante et dangereuse qu'on craignait et qu'il fallait courtiser et appaiser. On mesurait le temps grâce à la lune, la seule horloge disponible. A intervalles réguliers, la lune répétait la même phase — chaque fois. Les hommes pouvaient compter sur elle et ils le faisaient.

Les hommes primitifs voyaient dans une année une période comprenant la succession d'un certain nombre de lunes. Le premier jour de chaque mois commençait avec la lune nouvelle. Dans le *Vieux Testament,* on trouve de nombreux passages où l'association entre la nouvelle lune et le Sabbat est constamment mentionnée; ceci reflète une ancienne croyance qui voulait que quelque événement terrible et merveilleux se produise à chaque nouvelle lune. Le Sabbat originel, très ancien, était un jour de repos total; tout travail accompli ce jour-là était censé causer les pires catastrophes; aussi personne ne faisait jamais rien les jours de Sabbat. Dans toute culture suffisamment développée pour avoir un calendrier, les jours correspondant à certaines phases de la lune — surtout la nouvelle lune — étaient considérés comme étant particulièrement défavorables à toute entreprise. A l'origine, la semaine était seulement une façon de mesurer les quartiers de la lune et elle le reste encore dans le cas de certains jours.

Briffault qui fit une étude culturelle comparative volumineuse pour essayer de prouver sa théorie qu'à l'origine, les femmes avaient tout le pouvoir, rassembla des centaines de pages contenant des données provenant de toutes les parties du monde et concernant le lien que faisaient les cultures primitives entre la femme et la lune. Peu importe que son point de vue soit valide ou non mais la plupart des données sont probablement exactes.

Il découvrit que «certaines phases de la lune étaient tenues pour responsables du caractère néfaste de certains jours de l'année; la lune était l'unique facteur dont le pouvoir soit aussi constant et universellement reconnu ... et les dangers provenant de cette influence maléfique étaient considérés comme les plus redoutables pendant certaines phases du cycle lunaire. Les phases les plus dangereuses étaient différentes pour chaque peuple mais la nouvelle lune, et aussi à un moindre degré, la pleine lune et d'une façon plus générale, chaque période de transition d'une phase à une autre, étaient habituellement considérées comme les périodes les plus dangereuses.»

Il était certain que «l'association directe entre les fonctions sexuelles de la femme et la lune était à l'origine du caractère dangereux et maléfique attribué universellement à cette dernière. Même les plus rudes et les plus primitifs des peuples avaient remarqué la régularité du cycle des changements de la lune ... La lune est la régulatrice et, pour les primitifs, la cause des fonctions périodiques de la femme. La menstruation est causée par la lune; c'est une fonction lunaire et est couramment appelée — 'la lune'.»

Dans la plupart des langues du monde, les mots «lune» et «menstruation» ont une racine ethymologique commune. Comme pour la menstruation, on pensait que la grossesse était liée à l'action de la lune, ou même causée par elle. On pensait que c'était la nouvelle lune, qui causait la menstruation et la pleine lune, la grossesse. Bouddha lui-même est censé avoir été conçu par la lune.

La capacité de la femme de produire la vie de son propre corps, un pouvoir des plus mystérieux, ainsi que ses autres activités traditionnelles comme faire pousser les plantes, préparer les repas, allaiter ses enfants, toutes étaient, dans la tête des gens, liées au pouvoir de la lune. Parce qu'elle était l'ultime génératrice de vie, la lune pouvait aussi causer la mort et c'était une force à laquelle on ne pouvait s'opposer. Les peuples primitifs élaborèrent une énorme quantité de rites pour se protéger contre la menace qu'elle représentait.

La littérature concernant le sujet est si volumineuse que je ne pourrais vous donner plus qu'une simple idée des rites basés sur le lien entre les fonctions féminines et la lune. Un des mythes les plus répandus concerne la coutume qui veut que les femmes se retirent ensemble à la nouvelle lune dans la hutte réservée pour la menstruation. En novembre 1973, je passai une journée à la bibliothèque de l'université de Stanford qui possède sur microfiches des dossiers anthropologiques concernant le domaine des relations humaines. Ces dossiers sont les documents les plus complets et détaillés dont on dispose dans le domaine des études culturelles comparatives; mais malgré que des liens entre la femme et la lune et la menstruation et la lune soient mentionnés constamment, je ne trouvai nulle part aucune évidence d'étude faite sur une société où toutes les femmes partiraient ensemble pour avoir leurs règles à l'écart du village.

J'appris toutefois que la crainte superstitieuse de passer sous une échelle qui est courante dans notre société, provient de la pratique, d'éloigner la femme au moment de ses règles pour qu'elle se retire dans une hutte spéciale (où l'on entre par une échelle).

Dans plusieurs régions du monde, on présente un enfant nouveau-né à la lune en l'élevant vers elle pour qu'elle lui donne force et santé. Les habitants des îles Murray dépeignaient la lune comme un jeune homme qui, à certains moments, déflorait les femmes et les jeunes filles leur causant ainsi une perte de sang. Chez plusieurs peuples, la lune est censée «avoir ses règles» au moment de la nouvelle lune. Chez d'autres, la première menstruation pour une jeune fille est appelée «défloration par la lune». Au Mexique, les Mixtèques comptent les mois de la grossesse en se basant sur le temps où la «lune d'une femme disparaît» et croient que si une femme enceinte voit une éclipse lunaire, son enfant «perdra du liquide» et naîtra avec des défauts tels qu'un bec de lièvre ou des membres infirmes. Dans le Ching I chinois, l'hexagramme de la nouvelle lune est l'hexagramme du retour cyclique de la vie. Même dans notre siècle et peut-être même de nos jours, les volets des fenêtres des Cajuns en Louisiane sont, au moment de la nouvelle lune, bien fermés pour empêcher le moindre rayon de lumière lunaire de pénétrer dans la maison. Beaucoup de gens sèment d'après le cycle lunaire, pensant que la croissance des plantes coïncide avec l'arrivée de la pleine lune et conseillent le désherbage et le sarclage ou binage au moment de la nouvelle lune.

Les Desana, Indiens de Colombie, vivent sans électricité dans la jungle de l'Amazonie où la civilisation n'a encore que peu pénétré. Leurs mythes et leur façon de vivre ont peu changé depuis le début de leur existence. Le mythe de leur création comporte l'histoire suivante:

Le soleil viola sa fille qui n'était pas encore pubère sur un rocher près des rapides et son sang s'écoula dans l'eau. Depuis ce temps, les femmes ont leurs menstruations, ce qui est un rappel périodique de la faute d'inceste. Quand la lune, qui était amoureuse[3] de la fille du soleil, vit le crime de ce dernier, elle eut tant de peine qu'elle pleura et cacha sa lumière pendant trois nuits alors qu'auparavant, elle avait toujours éclairé la nuit. Et en souvenir de cela, elle a depuis ce temps, caché sa lumière trois nuits par mois faisant coïncider son cycle avec le cycle menstruel de la femme.

Si tous ces peuples à travers le monde croyaient que la nouvelle lune était la cause de la menstruation, et si hommes et femmes pratiquaient l'abstinence pendant la durée des règles, il serait donc logique de supposer qu'ils avaient remarqué que la nouvelle lune et la menstruation coïncidaient.

Il semble raisonnable de croire que la plupart des peuples du monde ont fait le lien entre la femme et la lune parce que ce lien était facilement observable. Pourtant, ce vieux mythe ne voulait pas dire grand chose pour moi car, bien que j'aie certainement ressenti les effets romantiques de la lune, je savais que mon propre cycle menstruel était tout à fait irrégulier et pas du tout en accord avec celui de la lune ou celui de toute autre femme. La seule fois que mes règles aient jamais coïncidé avec celles de quelqu'un d'autre de façon continue était quand je partageais une chambre avec une autre fille.

Est-ce donc que cela était juste un vieux mythe qui n'avait pas plus de valeur que la théorie de Briffault? Les livres d'an-

thropologie ne m'apportèrent pas d'autres réponses bien que
mon étude m'ait donné un sens plus aigu de fraternité et de par-
ticipation dans la féminité humaine. Je me résignai et acceptai
le fait qu'il n'était pas suffisant de comprendre physiologique-
ment mon propre corps et pas suffisant d'être consciente d'ap-
partenir à la grande famille des femmes du monde. De toute évidence, je devais chercher plus loin et essayer de me voir en tant
que femme sur cette planète particulière. Le cercle s'élargissait
de plus en plus.

---

[1] La culture organique.

[2] *Note du traducteur:* L'auteur cite ici l'analogie entre le mot «month» (mois) et
«moon» (lune) tous deux provenant du mot latin «mensis» (mois) et liés
éthymologiquement au mot menstruation. Cette analogie ne s'applique pas
au mot français «lune».

[3] *Note du traducteur:* La lune, dans la mythologie des Indiens concernés est considérée comme une sorte de divinité masculine.

3

Le cosmos

Chapitre 5

Rythmes cosmiques

«Au commencement, Dieu créa les cieux et la terre.
La terre était informe et vide, les ténèbres couvraient
l'abîme ... Dieu dit: «Que la lumière soit!» Et la
lumière fut. Dieu vit que la lumière était bonne, et il
sépara la lumière des ténèbres. Dieu appela la
lumière Jour, et les ténèbres Nuit.»

— *La genèse*

Eh bien oui! Nous allons maintenant étudier l'univers cosmique. Mon ambition démesurée me faisait rire. Par où commencer? Le fil conducteur que je me proposais de suivre, semblait délimiter quelque peu mon champ d'étude: tout ce qui concernait les cycles, les périodicités, les rythmes, les pulsations. Mais en regardant autour de moi, j'ai découvert que c'était la vie toute entière qui battait, et qu'il y avait une telle multitude de rythmes, tous liés les uns aux autres, que je ne serais jamais capable d'en dresser l'inventaire, encore moins d'en faire une classification rationnelle.

Les rythmes innombrables qui structurent notre univers forment une danse grandiose, à l'échelle des étoiles, du soleil et de la lune, des saisons et des marées. Pendant une unité de temps précisément définie — une journée, un mois, un an, la terre pivote sur elle-même, la lune fait le tour de la terre, la terre tourne autour du soleil et le soleil se déplace au centre de la galaxie. Ces mouvements se répercutent tout autour de nous par des modifications dans la température et la pression atmosphérique, la gravitation terrestre, la force des champs électromagnétiques, les cycles de lumière et d'obscurité. Et tous les êtres vivants, des plantes jusqu'à l'homme, accomplissent plusieurs ou même la plupart de leurs activités biologiques en accord avec les rythmes cosmiques. Perdre le rythme, au delà d'une certaine limite, équivaut à mourir.

L'homme fait l'expérience des rythmes dès les premières phases de son existence: à l'état d'embryon, il entend le battement du cœur de sa mère, il sent le rythme de sa respiration, celui de ses mouvements quand elle marche. C'est la toute première chose qu'il connaît. Après sa naissance, on le berce et on le tapote doucement pour le calmer. Enfant, il prend souvent plaisirs à des jeux rythmiques, au grand désespoir de sa mère qui se lasse plus vite que lui d'entendre le bang bang des casseroles frappées l'une contre l'autre.

Les rythmes se retrouvent dans notre environnement, dans nos corps, dans nos comportements et ils imprègnent toutes les activités de notre vie. Quand nous dansons, quand nous faisons l'amour, quand nous rions et même quand nous hoquetons, nos mouvements suivent un certain rythme. Même les particules les plus élémentaires de notre organisme, les électrons, les protons et les neutrons qui constituent l'atome, vibrent selon un mouvement rythmique harmonieux.

Harmonie: voilà le mot clé! Toute la vie est harmonie. Il n'est pas nécessaire d'établir une classification complète de tous les rythmes, ils sont là tout simplement. On ne peut pas les maîtriser. On peut seulement s'y adapter.

J'avais enfin trouvé le concept que je cherchais.

Je me suis plongée dans l'étude des rythmes et des cycles, de leurs effets et de leurs influences mutuelles. Cette recherche me fascinait de plus en plus. Comme bien d'autres domaines spécialisés, mon champ d'étude comportait une terminologie spécifique qui commençait à peine à être vulgarisée; je devais donc comprendre les définitions des termes avant même de chercher à saisir les relations complexes entre les divers rythmes.

Les cycles existent partout dans l'univers et à l'intérieur de chaque unité biologique; leurs effets principaux s'enchaînent et se relient les uns aux autres. La science a divisé ces effets en deux catégories: les effets endogènes, lorsqu'un processus cyclique se déroule à l'intérieur d'un être vivant, indépendamment de son environnement; les effets exogènes, lorsqu'un cycle affecte un organisme biologique de l'extérieur. Un exemple de cycle endogène serait la hausse et la baisse quotidiennes de la température normale du corps chez les mammifères.

Les cycles exogènes reflètent les effets de l'environnement, comme l'alternance de la lumière et de l'obscurité, du jour et de la nuit. Les animaux diurnes dorment la nuit et sont actifs pendant la journée, alors que les animaux nocturnes ne s'éveillent qu'à la tombée du jour. Mais tous les animaux ont des périodes d'activité et de repos définies et régulières.

Les cycles qui ont une influence sur la vie ont une durée variable. Le plus long est celui de l'activité solaire, qui se carac térise par l'apparition périodique de taches sur la surface du soleil. Lorsque l'activité solaire atteint un maximum chaque onze ans, d'immenses jets de matière lumineuse, d'une intensité supérieure à la normale, jaillissent de la surface du soleil et déversent une quantité énorme de particules énergétiques dans tout le système solaire. Plusieurs jets atteignent l'ionosphère terrestre; ils modifient considérablement le champ magnétique de la planète et sont à l'origine de bien d'autres phénomènes. Par exemple, il existe une corrélation entre le cycle solaire de onze ans et les variations périodiques de la largeur des couchesannuelles des arbres.

Vient ensuite le cycle de l'année. Nous pouvons tous reconnaître les changements saisonniers qui surviennent dans la nature et à l'intérieur de nous-mêmes. Même dans les profondeurs des canyons de Manhattan, les plus urbanisés d'entre nous se réjouissent de la venue du printemps, craignent que l'automne ne s'achève trop vite, supportent les désagréments de l'hiver. Ces réactions ne sont pas seulement senties, elles relèvent d'une intuition plus profonde.

Le cycle suivant est le mois lunaire de 29 jours ½, d'une pleine lune à l'autre.[1] Le cycle lunaire influence l'amplitude des marées et le comportement des êtres vivants.

Les cycles qui se découpent en périodes de 24 heures sont connus sous le nom de rythmes circadiens, c'est-à-dire des rythmes d'environ(circa) un jour *(die)*. Ils peuvent être d'origine endogène ou exogène.

Il y a ensuite les cycles plus courts, nommés «ultradiens», dont la durée est de moins de 24 heures et peut aller jusqu'à une fraction de seconde. La sensation de faim qui surgit chaque 90 minutes chez l'adulte normal, les oscillations des particules des atomes sont deux exemples parmi tant d'autres.

Tous ces rythmes se chevauchent constamment. Nous entendons rarement leur musique. Inutile d'ajouter que nous ignorons aussi les danseurs.

Plus je ressentais avec force l'universalité des processus cycliques, plus je trouvais l'idée de «contrôle des naissances» non seulement audacieuse mais complètement erronée. Comment pourrais-je trouver une façon pratique de vivre en harmonie avec tous ces rythmes, qui me permettent à la fois d'éviter une grossesse que je ne désire pas et inversement, d'avoir un enfant quand je le déciderais? Si tous les êtres vivants ont des horloges internes, des signaux qui déclenchent différentes fonctions biologiques à différents moments, je n'ai qu'à identifier le mécanisme de déclenchement et les conditions nécessaires à son fonctionnement pour reconnaître le moment clé, le moment de l'ovulation. Et alors, j'aurais le choix: me protéger contre les risques de grossesse pendant cette période ou en profiter pour devenir enceinte.

Je me suis rendue compte qu'au fond, je cherchais une façon de rendre la méthode rythmique efficace. Cela supposait que la reproduction était l'un des phénomènes biologiques synchronisés par des rythmes. Je décidai de poursuivre des recherches en me basant sur cette hypothèse.

La lumière est le plus puissant et le plus universel des pourvoyeurs de rythmes biologiques. Il me semblait donc très probable que la lumière déclenche les phénomènes de reproduction. Un fait divers lu dans un journal m'avait également amené à cette supposition: on y racontait que les fermiers laissaient les lumières allumées dans les poulaillers afin d'améliorer la production d'œufs. C'était là une excellente preuve, me semblait-il, de l'action de la lumière sur l'équilibre du cycle de reproduction.

Quand j'ai commencé à fouiller ce que je croyais être un petit chapitre de biologie, j'étais sûre qu'il était facile de cerner un domaine aussi restreint. J'appris bientôt avec consternation qu'à la suite d'une décision récente de l'Académie des Sciences et du Conseil National de la Recherche, ce tout petit domaine relevait désormais de la Société Américaine pour l'Etude de la Photobiologie — et qu'il comprenait 14 spécialités différentes. Comment un profane pouvait-il s'y retrouver? Je commençais à douter sérieusement de ma capacité à comprendre les influences cosmiques. Mais j'avais déjà investi tellement de temps et d'énergie dans cette recherche — et mes désirs sexuels s'intensifiaient de plus en plus — que je ne pouvais abandonner.

Gay Gaer Luce, écrivain scientifique, a décrit les rythmes biologiques — le temps des corps, selon ses propres termes — dans deux livres d'une profondeur et d'une envergure remarquables. Elle mentionne de nombreux effets de la lumière sur la vie, ajoutant que plusieurs nous sont encore inconnus: on n'a exploré que la pointe de l'iceberg. Les effets de la lumière, qui se reproduisent selon un rythme cyclique, sont tellement nombreux que je ne pourrais tous les énumérer ici.

L'exposition à la lumière règle la floraison des plantes, la construction des nids d'oiseaux, les déplacements des poissons tet des insectes. La lumière visible du soleil et de la lune, et même les rayons ultra-violets, invisibles pour les hommes, influencent les processus biologiques fondamentaux. Ce n'est pas la présence de n'importe quelle lumière qui entraîne le déclenchement d'un processus biologique, mais l'exposition à un cycle particulier de lumière — c'est-à-dire l'apparition d'une lumière d'une telle intensité, d'une telle durée, à tel moment précis à l'intérieur d'une certaine période de temps.

Les variations saisonnières de la durée du jour permettent à des milliers de plantes et d'animaux de «savoir» quand se reproduire, quand et dans quelle direction croître, comment et vers quel lieu se déplacer, quand se reposer. D'après ce signal, les saumons remontent les rivières, les baleines émigrent, les abeilles communiquent entre elles, le volume des gonades[2] des oiseaux passe d'un poids infime à un poids équivalent au quart de la masse totale de leur corps.

Pendant tout ce temps, le rythme circadien de lumière et d'obscurité, l'un des plus influents de tous les cycles de lumière actuellement connus, régularise la routine quotidienne. Dès le début du 18ième siècle, de célèbres jardiniers cultivaient des fleurs qui s'ouvraient et se refermaient selon un horaire fixe («10 heures — la lampsane commune se ferme; 11 heures — l'ornithogale à ombelle — belle d'onze heures s'ouvre»), de telle sorte qu'un rapide coup d'œil au jardin indiquait l'heure de la journée.

Les êtres vivants sont des horloges précises!

Nous savons que le soleil est l'une des composantes essentielles de la vie. Mais sa présence nous est tellement familière que nous nous y arrêtons rarement. Bien sûr, nous sommes déçus lorsque des nuages le couvrent, et fâchés lorsqu'il brûle notre peau. Nous n'ignorons pas que le soleil nous permet de voir, qu'il nous réchauffe et nous sèche, qu'il altère les couleurs et désodorise les vêtements.

Cependant, si vous avez suivi l'enchaînement de ma pensée jusqu'à maintenant, faites un pas de plus et c'est toute une nouvelle vision du monde que vous découvrirez. C'est comme sortir de la caverne de Platon pour aller vers la lumière du soleil; après avoir connu la lumière, vous ne pouvez plus regarder le monde à travers l'obscurité d'une caverne. Vous aurez soudainement compris que le soleil est le plus grand «pourvoyeur de rythmes» biologiques, qu'il dirige l'orchestre de la vie.

Le soleil brille et des milliers d'événement se produisent à son passage. Puis — et c'est tout aussi important — il disparaît pour un certain laps de temps. L'alternance de lumière et d'obscurité a des conséquences considérables. Seul le cycle de la lumière présente cette régularité précise — le cycle de la lumière naturelle, il va sans dire.

Nous allons maintenant examiner la constitution de la lumière, afin de comprendre son influence sur les êtres vivants. D'un point de vue technique, la lumière est une forme d'énergie dégagée par une source quelconque, tout comme le son, la chaleur, les ondes électromagnétiques, les rayons X. On la caractérise le plus souvent à la couleur (longueur d'ondes), la durée et l'intensité. Selon l'une ou l'autre de ces caractéristiques, la lumière activera ou ralentira l'activité cellulaire des plantes et des animaux. Le phénomène de synchronisation des rythmes biologiques et physiologiques par la lumière se nomme le «photopériodisme».

Les plantes ont des horloges biologiques qui déterminent les temps de croissance et de floraison. La durée du jour — le nombre d'heures de clarté — joue un rôle crucial dans le processus de floraison. Une plante ne fleurit pas lorsqu'elle est exposée trop longtemps à la lumière. K. C. Hamer et A. Takimoto de l'Université de Californie à Los Angeles ont été les premiers à le démontrer en cultivant une variété de soja exposée à des jours de 18 heures. Dès que la durée du jour fut réduite, la plante commença à boutonner. Par la suite, le retour à des journées plus longues accéléra la floraison mais le nombre de boutons était directement proportionnel au nombre de journées plus courtes qui avaient précédé. Les journées plus courtes de l'hiver sont nécessaires à la floraison des plantes. Par ailleurs, il y a dans le cycle circadien des plantes, un seuil critique au delà duquel l'exposition à la lumière ralentit la croissance et empêche la floraison.

Qu'est-ce qui rend les plantes «capables» de réagir à la lumière d'une telle façon? Ces réactions particulières à la lumière font partie de l'héritage des plantes, et elles se produisent selon certains rythmes, même en l'absence de lumière. Ainsi, les feuilles continuent de se déplacer dans l'obscurité, de la même manière que si elles suivaient le mouvement du soleil à travers le ciel.

Le Dr. Erwin Bünning de Tübingen, en Allemagne, a étudié des plantes ayant un cycle de 24 à 26 heures. Quand il a croisé des plantes au cycle plus court avec des plantes ayant un cycle plus long, le rythme circadien de photopériodisme des hybrides ainsi obtenus, se situait à mi-chemin entre celui des deux plantes mères.

Cependant, la présence de la lumière est nécessaire pour que les rythmes biologiques se maintiennent. De jeunes plants cultivés dans l'obscurité ne manifestent aucune réaction rythmique; toutefois, une seule exposition à la lumière suffit pour les déclencher. Après 30 années d'expérience, le Dr. Bünning en vint à la conclusion suivante: les réactions des plantes à la lumière résultent d'une intégration de l'environnement spatio-temporel dans le patrimoine héréditaire. En effet, les réactions des plantes se produisent selon un rythme inné de réceptivité à la lumière, qui coïncide avec leurs cycles diurnes de production d'enzymes, leur métabolisme et la photosynthèse. Ainsi les horloges biologiques des plantes leur permettent de se préparer aux changements de saisons. Ces horloges déterminent également des périodes de repos, pendant lesquelles l'activité métabolique est réduite afin que la plante puisse résister au froid, à la chaleur, aux périodes de sécheresse, et qu'elle puisse se préparer pour les étapes futures de croissance et de floraison.

Les insectes se servent également d'une horloge interne, basée sur la lumière, pour ajuster leurs cycles vitaux aux rythmes saisonniers. En accumulant de l'information sur la durée du jour et de la nuit, les insectes peuvent percevoir les changements de saison imminents; cette information leur est vitale, particulièrement dans le cas des insectes des zones tempérées, qui meurent faute de pouvoir s'adapter aux mouvements saisonniers. Leurs cycles vitaux doivent se dérouler dans des conditions climatiques favorables, et au moment où les plantes qui les hébergent et les nourrissent se retrouvent en nombre suffisant.

Les insectes passent les saisons défavorables à la croissance et à la reproduction dans un état de sommeil, nommé diapause, auquel ils doivent se préparer dès l'automne; le raccourcissement de la durée du jour est pour eux le signal d'alerte du changement de saison. Ce cycle saisonnier est une version plus longue du cycle quotidien d'activité et de repos.

L'abeille est un insecte réputé pour sa perception précise du temps. Elle peut apprendre à reconnaître n'importe quel moment de la journée; par conséquent, elle est capable de retrouver une source de nourriture découverte la veille à telle heure précise. Le premier compte-rendu publié à ce sujet a été rédigé par le psychiatre Forel, qui avait l'habitude de déjeuner dehors, dans son jardin, pendant l'été. Tous les matins, à la même heure, les abeilles venaient goûter à ses confitures. Un jour, Forel n'apporta pas de confitures. Les abeilles sont venues comme d'habitude à la même heure à cet endroit. Elles venaient même quand il n'installait pas de table dans le jardin.

Cette perception précise du temps permet aux abeilles de s'adapter aux cycles tout aussi précis des plantes qu'elles visitent — dont les fleurs s'ouvrent et se ferment en accord avec leurs propres rythmes cosmiques.

D'une manière plus complexe, la lumière synchronise aussi les activités des oiseaux et des mammifères; il apparaît clairement que nombre de leurs comportements sont réglés par une sensibilité physiologique à la lumière. Par exemple, les oiseaux migrateurs réagissent aux variations saisonnières de la durée du jour en accumulant des graisses dans leur organisme, après quoi ils émigrent en bandes, se reproduisent, et à nouveau, renouvellent leur plumage et deviennent inactifs, augmentant leurs réserves de graisses en vue du voyage de retour.

La lumière influence les cycles quotidiens de comportement. L'allongement et le raccourcissement des périodes de clarté déplacent graduellement l'heure à laquelle les animaux diurnes et nocturnes deviennent actifs. Au fur et à mesure que la durée du jour augmente, l'apparition de la lumière a pour effet d'avancer le cycle d'activité des animaux diurnes et de retarder celui des animaux nocturnes. Ainsi, au printemps, avec l'allongement progressif de la période de clarté et l'accroissement de l'intensité lumineuse, les animaux nocturnes s'éveillentde plus en plus tard alors que les animaux diurnes s'activent de plus en plus tôt le matin.

Chez les animaux, le mécanisme de réaction à l'alternance de lumière et d'obscurité diffère de celui des plantes. L'importance des rythmes biologiques vient à peine d'être reconnue en biologie et, encore une fois, on constate que la science moderne redécouvre et confirme un enseignement des religions orientales: nos rythmes biologiques correspondent au yin et au yang dont les orientaux avaient connaissance à travers un «troisième œil».

Qu'est-ce que le troisième œil? Que voit-il? Comment fonctionne-t-il? C'est une tout autre histoire. Mais tout se tient, comme vous le verrez.

Les écrits sur la lumière, l'obscurité, la vie, tous très passionnants, remontent aux temps anciens. La plupart des versions modernes de cette histoire, commencent avec René Descartes, philosophe du 17ième siècle, mathématicien et anatomiste. Descartes concevait le corps et l'esprit comme deux entités séparées et cherchait à découvrir où s'établissait le lien entre les deux. Parallèlement à sa réflexion philosophique sur la raison, qui relève du domaine de l'esprit, Descartes disséquait des cadavres pour en étudier minutieusement la constitution (après un meurtre, il se présentait pour réclamer le corps de la victime), et développait des théories mécanistes sur l'anatomie humaine. Dans le *Traité sur l'homme,* il dépeint en détail la physiologie humaine; en outre, il parvient à localiser le point de jonction entre le corps et l'esprit, là où se trouve le siège de l'âme, dit-il: la glande pinéale. Et cette glande perçoit la lumière.

La glande pinéale, c'est le troisième œil légendaire.

Les dessins de Descartes illustrent le fonctionnement du système nerveux et le lien entre les yeux et la glande pinéale, étaient des modèles mécanistes ingénieusement conçus, dans lesquels il parvint à relier tous les éléments en ajoutant des fils et des tubes à profusion. Son énumération des fonctions attribuables à la glande pinéale comporte bien des erreurs, mais il a été récemment confirmé que Descartes avait raison quand il prétendait que la lumière absorbée par les yeux pouvait affecter directement la glande pinéale.

Il y a une douzaine d'années, on ridiculisait encore les affirmations de Descartes. Dans les sciences biomédicales, comme dans bien d'autres domaines, la connaissance se développe inégalement. Pendant plusieurs dizaines d'années, et même, dans ce cas-ci, pendant des siècles, un sujet particulier retient peu l'attention des chercheurs. Puis un jour, il est redécouvert, ou bien il devient à la mode et fait l'objet de recherches intensives. C'est le cas de la glande pinéale.

La culture occidentale a préféré attribuer à l'œil pinéal, ou troisième œil, une signification métaphysique, plutôt que de lui reconnaître une réalité concrète. Il est maintenant admis que l'œil pinéal voit — ou, du moins, qu'il réagit à la lumière.

De nombreux fossiles attestent de la présence d'un troisième œil chez plusieurs espèces animales, aujourd'hui disparues, y compris des poissons, des reptiles, des amphibiens et des mammifères. On retrouve là les preuves que ce troisième œil était auparavant un organe proéminent, qui transmettait peut-être des images. Cet œil supplémentaire, situé sur le dessus de la tête, aurait eu une valeur considérable comme facteur de survie, surtout chez les espèces habituellement attaquées par des prédateurs volatiles.

Plusieurs espèces actuelles possèdent un œil pinéal. Le scélopore occidental[3] a un troisième œil, situé juste sur le dessus de la tête. Cet œil est dépourvu de paupières, de sorte qu'il peut surveiller tout ce qui se trouve au-dessus de lui: ciel, arbres — ou prédateurs. Chez cette variété de lézard, le troisième œil se compose d'un cristallin, d'une rétine, dont les cellules réceptrices ont une forme conique, et de fibres nerveuses reliées au cerveau. Une carence de vitamine A nuit sérieusement à son fonctionnement[4]. On a observé sur des spécimens de laboratoire que la présence de lumière entraînait une activité électrique dans les fibres nerveuses rattachées à l'œil pinéal, ce qui démontre que cet œil réagit effectivement à la lumière. Apparemment, il agit aussi comme un mécanisme qui limite la durée de l'exposition au soleil et il joue un rôle dans la régulation des rythmes circadiens du corps.

Plusieurs espèces animales actuelles possèdent un œil pinéal. Toutefois, chez la plupart des espèces supérieures, cet œil ne voit pas, au sens courant du terme; c'est-à-dire qu'il ne contient pas de cellules réceptrices photosensibles, dont le rôle est de transmettre directement une image à la région occipitale du cerveau (ou aire visuelle). Les oiseaux, les rats, les singes, les chats, les humains possèdent tous une glande pinéale qui réagit à la lumière, mais cette réaction diffère légèrement d'une espèce à l'autre. Chez les oiseaux et les mammifères, la glande pinéale reçoit l'information sur la lumière par le biais de la rétine. Chez quelques espèces inférieures, comme les grenouilles, les lézards, certains poissons, la glande pinéale réagit directement à la lumière. Actuellement, les chercheurs étudient intensivement cet organe et examinent le processus de transformation des stimuli extérieurs en informations, ou signaux, qui influencent les rythmes biologiques et le fonctionnement des glandes. C'est une question que les biologistes ont habituellement esquivée pendant plus d'un siècle. Ils recouraient souvent à la notion d'«instinct» pour expliquer la conversion de la lumière en information chimique ou électrique à l'intérieur du corps.

L'«instinct» joue le même rôle dans la biologie classique que la «force» en physique et «l'ego» en psychiatrie: c'est un mot pratique pour camoufler l'ignorance en nous procurant la satisfaction illusoire d'avoir expliqué un phénomène: un véritable écran de fumée. De nos jours, les explications à ces phénomènes se multiplient de plus en plus.

Au cours de l'évolution, l'œil pinéal des mammifères a perdu la plupart de ses cellules photosensibles et s'est transformé en une glande de forme conique et de la dimension d'un gros pois. Elle reçoit l'information sur la lumière indirectement, par le biais de la rétine, sous la forme d'impulsions nerveuses qu'elle convertit en sécrétions hormonales[5].

Quelles fonctions attribuer à la glande pinéale? Tout récemment, les scientifiques n'en connaissaient aucune et ne les recherchaient pas, puisque cette glande est partiellement calcifiée chez les humains adultes. Un important traité de physiologie médicale, de 1181 pages, publié en 1961, ne consacrait que le tiers d'une page à la glande pinéale. De toute évidence, l'auteur de ce traité, Guyton, considérait la glande pinéale comme une sorte d'appendice du cerveau, une structure rudimentaire dépourvue d'intérêt au stade actuel de l'évolution. Il a épuisé la question en ces termes: «Chez les adultes, il arrive souvent que la glande pinéale devienne complètement calcifiée; cela n'entraîne aucune conséquence physiologique importante et il est donc peu probable qu'on puisse attribuer à la glande pinéale une fonction primordiale.»

Pourtant, à peine quelques années plus tard, en 1968, Wurtman *et al.* ont écrit un livre entièrement consacré à ce sujet: «Il y a maintenant une documentation volumineuse sur le rôle de la glande pinéale dans le fonctionnement des gonades, de la glande thyroïde, du cerveau et de plusieurs autres organes et systèmes organiques des mammifères. De nombreuses preuves sont venues appuyer l'hypothèse selon laquelle la glande pinéale influence la pigmentation et le comportement des espèces animales inférieures et des mammifères.»

Il est également possible que la glande pinéale affecte la pigmentation des humains. Il n'y a pas si longtemps, une dépêche de journal en provenance de Rio de Janeiro, rapportait le fait suivant: une brésilienne blanche de 23 ans a vu sa peau noircir à cause d'une tumeur bénigne de la grosseur d'un citron, qui comprimait sa glande pinéale. En enlevant la tumeur, il faut s'attendre à ce que la pigmentation disparaîsse et que la peau reprenne sa blancheur initiale en moins d'un an.

Les fonctions de la glande pinéale sont nombreuses et variées chez les animaux et les humains. Toutefois, il faudrait plusieurs livres pour présenter toutes les recherches actuelles. Or, à cette époque je m'intéressais exclusivement aux liens avec les glandes sexuelles; j'ai donc concentré mon attention sur les travaux concernant les rapports entre la glande pinéale, la lumière et la reproduction. De plus, les débats sur le rôle de la glande pinéale sont limités car la plupart des expériences ont été effectuées sur des animaux, et les résultats ne s'appliquent pas nécessairement aux autres espèces animales, ni aux êtres humains.

On sait que la glande pinéale de l'homme et d'un très grand nombre de mammifères renferme des quantités relativement appréciables d'acides aminés essentiels, tels que l'histamine, la sérotonine, la noradrénaline, et qu'elle secrète la mélatonine. Nous savons aussi que les variations de l'exposition à la lumière modifient quelques-uns des processus métaboliques qui se déroulent à l'intérieur de la glande pinéale; cette influence se traduit entre autres par des changements mesurables du poids de la glande, de sa consommation d'oxygène et de son contenu en sérotonine. Les concentrations de sérotonine, d'acide 5-hydroxyindoléacétique et de mélatonine à l'intérieur de la glande pinéale varient en accord avec le cycle des jours et des nuits, de la lumière et de l'obscurité.

Dans les paragraphes suivants, je suis forcée de me limiter aux espèces animales autres que les humains, sauf indication contraire, parce qu'à ma connaissance, on n'a conduit aucune recherche en vue de saisir les liens entre la glande pinéale, la lumière et la reproduction chez les humains.

Les Hollandais et les Japonais ont toujours accordé beaucoup de soin et d'intérêt à leurs jardins et à leurs fermes, ainsi qu'aux animaux qui vivaient à proximité. Il n'est donc pas surprenant qu'il y a une centaine d'années, les uns et les autres aient réussi à entraîner des oiseaux chanteurs à chanter pendant l'hiver en allongeant artificiellement la durée des jours dès l'automne. Or, on sait que l'hiver, les oiseaux chanteurs sont toujours muets.

Puis en 1925, un zoologiste canadien, William Rowan, approfondit l'influence de la lumière sur les gonades en étudiant un petit oiseau, le junco à dos roux. Dans leur environnement naturel, les testicules et les ovaires de ces oiseaux sont beaucoup plus gros au printemps, immédiatement avant le temps de la reproduction, que pendant le reste de l'année. La question était la suivante: comment les gonades sont-elles prévenues de l'arrivée du printemps? Qu'est-ce qui les avertit de se préparer à la reproduction en augmentant leur volume? Pour vérifier l'exactitude de la réponse qu'il avançait, Rowan rallongea la durée du jour pour ces oiseaux, à l'aide d'une ampoule électrique qu'il allumait au coucher du soleil. A partir du début d'octobre, il augmenta graduellement la période de clarté et, peu de temps après, bien avant la venue du printemps, les ovaires et les testicules commencèrent à se dilater. Cette expérience confirmait l'hypothèse de Rowan: les transformations des glandes sexuelles étaient effectivement produites par la lumière, plus précisément par l'augmentation progressive de la durée du jour.

C'était l'une des premières preuves pertinentes de l'existence d'une relation fonctionnelle entre la lumière et le système nerveux endocrinien. Plusieurs études ultérieures ont démontré que la lumière de l'environnement agit sur le développement et le fonctionnement des gonades. Par exemple, des expériences ont été réalisées sur des furets, petits animaux qui ressemblent aux belettes et qui entrent en chaleurs une fois par an. Les résultats furent analogues: l'allongement artificiel de la durée du jour amena les furets à se préparer à la reproduction. Le rôle de la lumière comme synchroniseur des rythmes liés à la reproduction se confirmait de plus en plus.

Ce n'est qu'après la découverte de Virginia Fiske sur l'action de la lumière sur le poids de la glande pinéale du rat, que l'on commença à rassembler toutes ces données éparses. Cette découverte fournissait une preuve incontestable de l'influence directe de la lumière sur le corps des mammifères: la réduction du poids de la glande pinéale. Descartes recevait enfin les honneurs qu'il méritait.

Kitay a observé les variations cycliques de la composition de la glande pinéale du rat. La concentration de substances organiques varie selon un cycle de 24 heures: la quantité de sérotonine, faible pendant la nuit, atteint un maximum vers midi; la production de mélatonine, au contraire, est maximale à la tombée de la nuit et diminue pendant la journée.

Lors d'une conférence donnée en 1973 à l'Université de Californie, à Berkeley, par Julius Axelrod, une personne de l'auditoire demanda: «A quoi sert cette mélatonine que la glande pinéale secrète durant toute la nuit?» Le Dr Axelrod répondit, avec un sourire moqueur: «Servez-vous de votre imagination», ce qui déclencha l'hilarité générale. Personne ne doutait que la réponse, quelle qu'elle soit, avait une connotation sexuelle.

On affirmait auparavant que l'activité glandulaire était contrôlée par des signaux produits à l'intérieur du corps, et qu'elle se caractérisait par une stabilité relative. Les exceptions, lorsqu'on en découvraient, étaient attribuées à des maladies, à une alimentation irrégulière et à des mécanismes comparables à un jeu de dominos, par lesquels la production d'une hormone particulière provoquait d'autres sécrétions hormonales.

Actuellement, on interprète en général le fonctionnement des glandes comme une réponse aux rythmes naturels de l'environnement. L'interaction avec le milieu écologique n'est pas l'unique régulateur de l'activité glandulaire, mais c'est le plus déterminant.

La nature, dans sa prévoyance, fournit des mécanismes supplémentaires qui renforcent ou remplacent, en cas de besoin, le mécanisme normal d'interaction. Des expériences sur des rats nés aveugles, ou élevés depuis la naissance dans une clarté ou une obscurité permanente, ont montré qu'en l'absence de variations de la lumière, d'autres facteurs intervenaient dans le déclenchement du cycle de l'ovulation: les changements rythmiques de température provoquaient l'ovulation et, lorsque la lumière et la température étaient toutes deux maintenues constantes, les variations de l'humidité agissaient parfois comme stimulus.

En d'autres termes, si la lumière n'agit pas, la température déterminera la réponse de l'organisme et si aucun de ces deux facteurs n'intervient, l'animal réagira au degré d'humidité. L'étape suivante consistait à faire intervenir simultanément ces trois éléments et à observer les résultats.

Un éclairage constant accélère la maturation sexuelle des rates et raccourcit le cycle de l'ovulation. Au contraire, chez les rats aveugles ou élevés dans l'obscurité complète, la maturation sexuelle est tardive. Les chercheurs ont également réussi à inverser complètement le cycle lumière/obscurité et, conséquemment, le moment de la journée où débute le cycle de l'ovulation.

Les spécialistes appellent «phase», l'intervalle entre le début d'un cycle et le commencement du cycle suivant. Par exemple, la température normale du corps des mammifères est plus élevée pendant la période d'activité et diminue pendant le sommeil; sur la courbe de température, on peut mesurer une phase de 24 heures d'un sommet à l'autre, ou d'un creux à l'autre. Si l'on compare les courbes d'une personne qui travaille la nuit et d'une autre qui travaille le jour, on constate que les phases (hausse et baisse, ou l'inverse) ne coïncident pas. Une perturbation des stimuli qui régularisent un cycle entraîne une perturbation des phases et une adaptation du corps. Cet ajustement s'appelle «changement de phase». Plusieurs chercheurs ont démontré que l'exposition continue à la lumière entraîne des changements de phases. Ils sont parvenus à désynchroniser le rythme sexuel normal des rats et à le resynchroniser par la suite en recréant habilement un milieu artificiel qui reproduisait les effets cycliques de l'environnement naturel.

Ces expériences ont fait ressortir le rôle crucial de la glande pinéale dans la connexion biologique entre la lumière et les gonades. Toutefois, ce rôle demeure imprécis. A l'Université du Texas, Menaker a étudié une espèce d'oiseau, le moineau franc, pendant de nombreuses années. Lui et ses collègues ont effectué plusieurs expériences sur cette variété d'oiseau, en utilisant la lumière blanche-froide tube fluorescent; ils ont fait des découvertes étonnantes.

Les moineaux aveugles réagissaient aux cycles de lumière; incontestablement, ces oiseaux ne percevaient pas la lumière uniquement de leurs yeux. Le Dr. Menaker employa ensuite une veilleuse de nuit, que l'on trouvait sur le marché et qui émettait mille fois moins de lumière visible que le tube fluorescent — une lumière équivalent grosso modo à «un brillant clair de lune du point de vue de l'intensité, mais différente par sa couleur». La moitié des moineaux aveugles continuèrent de réagir à la lumière et maintinrent leurs cycles normaux d'activité; les autres se comportaient comme s'ils étaient placés dans une obscurité permanente. Cette expérience rendait encore plus plausible l'idée d'un «récepteur extra-rétinien transmettant l'information sur la lumière dans le processus de déclenchement des rythmes biologiques». De plus, elle permit, accidentellement, de fixer un seuil minimum d'intensité lumineuse pour que ce récepteur opère.

Se basant sur l'hypothèse selon laquelle ce récepteur se trouvait quelque part dans la tête des oiseaux, l'équipe de chercheurs essaya de trouver des façons de modifier la quantité de lumière perçue. Ils arrachèrent des plumes de la tête de plusieurs oiseaux aveugles parmi ceux qui ne réagissaient pas à la lumière émise par la veilleuse. Ces oiseaux commencèrent à réagir à la lumière. La même opération répétée sur d'autres parties du corps ne produisit aucun effet. Plus précisément, ils trouvèrent que la suppression des plumes sur la tête des oiseaux, avait pour effet d'augmenter de 100 à mille fois la quantité de lumière qui atteignait la surface supérieure du cerveau. Ensuite, ils rendirent à nouveau opaque le dessus de la tête des oiseaux en injectant de l'encre sous la peau et, encore une fois, les oiseaux cessèrent de réagir à la lumière.

Les chercheurs s'interrogeaient sur le rôle de la glande pinéale dans la réception de la lumière. Ils enlevèrent cette glande sur un certain nombre d'oiseaux aveugles, mais ceux-ci continuèrent de réagir aux cycles de lumière et d'obscurité. Ce résultat indique que la glande pinéale n'est pas le seul point de photoréception dans le cerveau. Par ailleurs, l'ablation de la glande pinéale brouille les rythmes circadiens de l'activité locomotrice, ce qui complique l'interprétation des données. La glande pinéale modifierait l'activité locomotrice en tant qu'élément d'un système plus complexe, que l'on ne connait pas encore.

De plus, les yeux doivent avoir une certaine importance dans la régulation des rythmes de l'activité locomotrice, puisqu'on a également observé que les oiseaux non aveugles pouvaient percevoir la lumière à des niveaux d'intensité plus faibles que les oiseaux aveugles.

Le groupe poursuivit sa recherche en examinant le rôle de la lumière — absorbée par les yeux ou autrement — dans le grossissement périodique des testicules. Au printemps, le volume des testicules des oiseaux mâles s'accroit jusqu'à devenir de 40 à 50 fois plus considérable que le volume moyen pendant le reste de l'année. La dilatation des gonades précède l'accouplement, après quoi les testicules se rétrécissent à nouveau. Ce phénomène est essentiel pour la survie, puisqu'il permet aux oiseaux de réduire leur poids — et donc leur besoin de nourriture — pendant les mois où la nourriture est moins abondante.

Des oiseaux normaux et des oiseaux aveugles furent soumis à des jours plus longs: le taux d'accroissement et le volume atteint par les testicules étaient identiques dans les deux groupes. Ces résultats différaient de ceux obtenus dans les expériences sur le déclenchement des cycles circadiens et les chercheurs en vinrent à la conclusion que ces oiseaux possédaient également un «récepteur extra-rétinien transmettant l'information sur la lumière dans le processus de photopériodisme». Une autre expérience démontra que les yeux ne participaient pas du tout à la réaction des gonades à la lumière, alors qu'ils jouaient un rôle dans la régulation des rythmes circadiens. Toutefois, on n'était pas sûr de la validité des données observées à cause du type de lumière utilisée. Comme Menaker le souligne, il semble quelque peu aberrant de constater que ce n'est pas le rôle d'un photorécepteur situé dans le cerveau, mais celui des yeux dans le phénomène de photopériodisme, qui demeure partiellement obscur.

J'ai découvert beaucoup d'autres exemples de cycles de reproduction synchronisés par la lumière. A la faculté de médecine de l'Université d'Oregon, à Portland, Alan L. Rogers travaille avec des chiennes, qu'il a séparées en 5 groupes jumelés. Le groupe-contrôle vit au grand air et reçoit la lumière de l'environnement naturel. Les 4 groupes expérimentaux vivent dans des pièces sans fenêtres, où les stimuli de l'environnement — température, pression barométrique, humidité — sont les mêmes. La durée de l'exposition à la lumière est identique pour chacun des groupes, mais le type de lumière varie: on trouve successivement une ampoule incandescente, un fluorescent blanc-chaud, un arc à vapeur de mercure et un spectre étendu utilisé en horticulture.

Aussitôt après avoir amené les 4 groupes expérimentaux dans cet environnement artificiel, les taux de fertilité des chiennes devinrent presque nuls: on avait interrompu les cycles réguliers de reproduction. Puis graduellement, ces cycles redevinrent normaux. Cependant, 3 ans après le début des expériences, aucun des groupes expérimentaux n'avait un cycle «régulier», comparativement à leurs jumelles vivant au grand air: les irrégularités étaient plus importantes que celles enregistrées dans le groupe-contrôle, et le groupe qui s'éloignait le plus de la norme était celui exposé à une lumière incandescente.

Le Dr. Rogers n'est pas encore prêt à formuler des conclusions définitives mais il reconnait que la lumière affecte les cycles de reproduction et la vie psychologique des chiens.

Au Centre régional pour l'étude des primates, à Beaverton, en Oregon, le Dr. Richard Van Horn étudie actuellement l'effet des rythmes circadiens de lumière sur les maki cattas, variété de lémures provenant de Madagascar. La période normale de reproduction de ces animaux ne dure que quelques semaines; d'autre part, le cycle des saisons dans leur habitat naturel, de l'autre côté de l'Equateur, est décalé d'une demi année par rapport au nôtre. Les lémures, amenés en laboratoire et exposés à une clarté constante, oublièrent complètement leur période de reproduction. La création de saisons artificielles en laboratoire, remit en marche les cycles de reproduction correspondants. Le Dr. Van Horn n'hésite par à affirmer qu'il y a une relation évidente entre la lumière et la reproduction chez les lémures qu'il a observés.

Les rythmes cycliques du fonctionnement des gonades chez les êtres humains sont-ils régularisés par la glande pinéale? Personne ne le sait. Elle doit certainement jouer un rôle, mais il y a probablement d'autres facteurs, encore inconnus, qui entrent en ligne de compte.

Cet organe, pour lequel on avait un véritable culte dans les temps anciens, se distingue par plusieurs particularités. Sa production normale d'hormones équivaut à un signal «d'arrêt» pour d'autres glandes. Dans l'obscurité, sans aucun stimulus, la glande pinéale produit de la mélatonine, dont l'effet est d'interrompre l'activité des glandes sexuelles. Un tel interrupteur s'avère nécessaire pour maintenir le fonctionnement rythmique des gonades. Sans ce signal d'arrêt, les gonades se développeraient et secréteraient leurs hormones à une très grande vitesse, comme cela se produit lorsqu'une lumière occasionnelle ou continue stimule les yeux. La lumière interrompt la production de mélatonine à l'intérieur de la glande pinéale, ce qui permet la maturation des gonades, le développement des cellules sexuelles et les sécrétions hormonales. L'obscurité déclenche la production de mélatonine.

Vous constatez que la mélatonine est l'élément clé de la relation entre la lumière et les gonades; la glande pinéale traduit l'information sur la lumière par une sécrétion hormonale qui influence le fonctionnement des gonades. Lorsque la mélatonine atteint les gonades par les voies sanguines, elle paralyse presqu'entièrement leur fonctionnement: elle ralentit la maturation sexuelle, freine l'ovulation, et réduit le poids et la sécrétion d'hormones des ovaires et des testicules.

Un affaiblissement de la lumière entraîne une diminution du poids de la glande pinéale, ainsi que de sa production d'hormones, et le fonctionnement des gonades s'en trouve modifié. Si tout cela est bien exact, alors quel est l'effet de la lumière artificielle à laquelle nous sommes constamment exposés dans nos grandes villes modernes? Des études ont fait ressortir que de nos jours, les jeunes devenaient mûrs plus tôt à la ville qu'à la campagne. Quels sont les autres effets de la lumière artificielle? Est-il possible que cette lumière désynchronise nos cycles sexuels normaux de façon permanente? Je n'étais même plus certaine de la durée d'un cycle normal.

Je m'interrogeais. Certaines personnes vivent presque toujours dans un éclairage artificiel. Bien plus, la quantité de flux lumineux émise par les éclairages extérieurs nocturnes s'est accrue de 23% par an, aux Etats-Unis, pour la seule période de 1967 à 1970 (Riegel).

Je m'interrogeais aussi sur la lumière de la lune: avait-elle une influence significative sur les cycles de reproduction? Les vieux mythes affirmant l'existence d'une relation entre la lune et les femmes avaient-ils quelque fondement? Je devais en apprendre davantage sur les rythmes biologiques normaux et découvrir tous les liens possibles entre la reproduction et le cycle lunaire.

---

[1] On appelle «révolution synodique» la durée de ce cycle lunaire observable, et «révolution sidérale» le temps que la lune met pour revenir dans une même position par rapport à la terre, soit un peu plus de 27 jours. La différence s'explique par le déplacement de la terre sur sa propre orbite pendant le mois.

[2] glandes sexuelles

[3] variété de lézard.

[4] Ce phénomène est significatif; la vitamine A est essentielle à la formation de pigments sensibles à la lumière, à l'intérieur de la rétine. Plus spécifiquement, notons qu'une carence de vitamine A dans l'organisme — et dans l'œil — entraîne une baisse de la vision nocturne.

[5] Apparemment, l'information sur la lumière parvient à la glande pinéale de la façon suivante: la rétine de l'œil renferme des cellules spécialisées (cônes et bâtonnets) ayant pour fonction d'absorber la lumière qui traverse le cristallin. Les cônes et bâtonnets transforment l'énergie de la lumière en énergie électrochimique, sous la forme de stimulation nerveuse. Celle-ci est propagée sur une courte distance par les nerfs optiques, jusqu'au point où les nerfs issus de chaque œil se croisent et se dirigent vers le côté du cerveau opposé à celui d'où ils proviennent; c'est le point de chiasma des nerfs optiques. A cet endroit, les nerfs se scindent. La plupart des stimulations nerveuses sont envoyées au lobe occipital du cerveau, où elles sont interprétées comme une image. Les autres stimulations, conduites par un nerf optique découvert tout récemment, traversent le cerveau jusqu'au bulbe rachidien, qui relie le cerveau à la moelle épinière, et parviennent ensuite aux ganglions sympathiques, situés de chaque côté de la partie supérieure du cou. De là, les stimulations sont envoyées à la glande pinéale.

Chapitre 6

Rythmes biologiques

« Garde ouvert l'œil au sommet de la tête ».
—Ancienne expression Hopi

E n étudiant l'enchaînement des rythmes humains, l'avertissement de Rachel Carson m'est revenu à l'esprit: «Quand on perturbe l'équilibre de la nature, on dérange toujours plus d'une chose». Par exemple, le symptôme des longs voyages en avion: on s'est aperçu que la traversée de plusieurs méridiens avait des répercussions sur la santé. Cette constatation fut à l'origine d'une recherche approfondie sur les rythmes circadiens. Comme c'est si souvent le cas à notre époque, c'est seulement après avoir franchi les limites de la sécurité biologique (évidemment, nous avions tout sous contrôle) que nous réalisons ce que nous avons fait. Aujourd'hui, il existe des centaines d'ouvrages pertinents qui décrivent le déphasage causé par les longs voyages et tous reconnaissent que des rythmes perturbés font des gens perturbés. Mais les rythmes perturbés ne sont pas seulement dus au transport par avion à réaction, ils peuvent être un signe de maladie.

Il y a des cycles quotidiens pour le sommeil et la veille, les sécrétions urinaires et excrémentielles, les battements du cœur, la température, la croissance des tissus, le métabolisme protéique, la fabrication des hormones, la coagulation du sang, le rapport entre globules blancs et globules rouges, la division des cellules épidermiques et leur mort ... c'est-à-dire pour presque toutes les activités du corps humain.

Qu'arrive-t-il, par exemple, lorsque le rythme de division des cellules est perturbé? Le Dr. Franz Halberg et ses collaborateurs ont découvert qu'une irrégularité dans le rythme de division des cellules épidermiques de l'oreille était l'un des premiers symptômes des tumeurs mammaires chez les animaux. Cette déformation du rythme circadien apparaissait avant toute autre indication pathologique et précédait les signes physiques graves de la maladie.

Outre le cancer, les symptômes de plusieurs maladies se manifestent selon un rythme circadien, à partir d'un certain stade de développement. Ainsi les gens qui ressentent des douleurs à l'estomac vers la même heure chaque jour (s'ils n'ont pas bu de lait ni mangé de nourriture indigeste), souffrent peut-être d'un ulcère à l'estomac. Le rythme circadien de la circulation du sang peut s'observer chez les personnes qui ont une mauvaise circulation sanguine dans les extrémités: elles ont les pieds plus froids à un certain moment de la journée. On a remarqué chez des malades hospitalisés que les crises spasmodiques et les thromboses se produisaient souvent selon un rythme circadien, avec un maximum de fréquence au début de la soirée et un minimum entre minuit et 4 heures du matin.

Des rythmes circadiens se retrouvent également dans les symptômes des allergies, de l'épilepsie, des affections des reins, des dépressions, de la tuberculose, du diabète, des maladies cardiaques et glandulaires, ainsi que d'un grand nombre de troubles émotifs. Ils déterminent aussi notre résistance ou notre vulnérabilité aux médicaments, aux dépressions, aux allergies, aux injections et à la douleur. Par exemple, Luce cite une expérience où l'on a injecté une forte dose d'amphétamine à un groupe de rats: la même dose tuait 70% des rats lorsqu'elle était injectée au milieu de leurs cycles d'activité et seulement 6% lorsque l'injection avait lieu à la fin de leurs cycles.

Selon Richter, les maladies périodiques se manifestent aux intervalles suivants: 12 heures, 24 heures, 48 heures, 7 jours, 14 jours, 17 à 19 jours, 20 à 21 jours, 24 à 25 jours, 26 à 30 jours, 50 à 60 jours, 4 à 5 mois et annuellement.

Les phénomènes se rapportant à la reproduction présentent également un rythme circadien. Dans un numéro des *Annales de l'Académie des sciences de New York,* Kaiser et Halberg, ainsi que Malek et ses collaborateurs, exposent successivement les données qu'ils ont recueillies sur l'heure du début des douleurs de l'enfantement et sur l'heure du début des menstruations. Les deux articles confirment l'existence de moments creux et de moments privilégiés, mais la situation géographique exerce aussi une influence. Kaiser et Halberg citent une étude publiée en 1959, selon laquelle on peut manipuler le rythme biologique des souris au point de provoquer un changement de phase permanent, en inversant le cycle du jour et de la nuit. Ils décrivent une autre expérience dans laquelle on a comparé l'heure du début des douleurs dans les accouchements naturels et dans les accouchements qui nécessitent une intervention chirurgicale. Chaque type d'accouchement possédait un rythme circadien clair et spécifique mais l'on peut supposer que la seconde courbe reflétait principalement les heurs de disponibilité des médecins!

Malek découvrit que les accouchements commençant durant la période de fréquence maximale étaient plus courts et nécessitaient plus rarement une intervention chirurgicale. Il montra aussi que le cycle plus long de l'intensité géomagnétique, ainsi que certains rythmes hebdomadaires, pouvaient affecter les rythmes quotidiens du début des accouchements.

Les recherches de Malek à Prague, portant sur les cycles de menstruations des étudiantes infirmières, aboutirent à des résultats analogues. Notons que les infirmières avaient des cycles plus réguliers que les femmes dont il est question au chapitre 2. Malek observa les faits suivants:

1) les premières menstruations se produisaient généralement à l'âge de 13 ans, le plus souvent entre novembre et décembre, et moins fréquemment entre février et avril;

2) il existait une relation inverse entre l'intensité géomagnétique et la fréquence du début des menstruations;

3) l'arrivée des menstruations n'était aucunement reliée à la pression atmosphérique, ni à la température;

4) les écoulements sanguins, de même que les intervalles entre les règles, duraient plus longtemps en hiver qu'en été;

5) presque 55% des règles commençaient entre 8 heures du matin et midi;

6) les règles commençant entre 8 heures du matin et midi duraient moins longtemps que celles débutant l'aprèsmidi;

7) les menstruations débutaient le plus souvent le dimanche, le mercredi ou le jeudi.

Malek affirme qu'il existe une relation entre l'arrivée des menstruations et le cycle synodique de la lune. Mais contrairement aux autres points, il ne fournit pas de preuve de l'existence de cette corrélation et ne tient pas compte de cette caractéristique dans son analyse ou ses commentaires sur les cycles menstruels.

L'influence de la lune sur les cycles de reproduction des êtres vivants a fait l'objet d'études depuis plusieurs dizaines d'années. Déjà vers 1920, C. Amirthalingam, biologiste spécialiste des organismes marins, qui travaillait en Angleterre, observa une périodicité lunaire dans le cycle de reproduction d'une espèce de pétoncle, et Fox vérifia l'existence d'une telle corrélation sur les clypéastres (autres animaux marins). A cette époque, on ignorait si cette périodicité reflétait l'influence de la lumière ou celle de la force gravitationnelle de la lune.

La lune crée une attraction qui, jointe à celle du soleil, déforme la surface de la terre, de 30 centimètres en moyenne. La surface des océans, plus mouvante, se soulève de plusieurs dizaines de centimètres. Nous appelons marée, la différence entre la déformation de la terre et celle de l'eau. De plus, la dénivellation entre la marée haute et la marée basse n'est pas toujours la même. Chaque mois lunaire comporte deux grandes marées, à la pleine et à la nouvelle lune, qu'on appelle marées de vives eaux, et deux marées d'une amplitude particulièrement faible, au premier et au dernier quartier de la lune; ce sont les marées de mortes eaux.

Des études plus récentes ont montré que l'attraction gravitationnelle de la lune n'a qu'un rôle mineur, et peut-être même aucun, dans la relation entre la lune et les phénomènes de reproduction. C'est la lumière de la lune qui affecte les organismes marins. Aujourd'hui, on est parvenu à identifier un grand nombre d'espèces qui subissent cette influence, parmi lesquelles plusieurs larves de mer, les moules, d'autres variétés de plantes et d'animaux marins, ainsi que des algues et des organismes aquatiques.

Quelle est cette influence et comment s'exerce-t-elle dans chaque cas? La réponse varie selon les espèces. Par exemple, les gens qui vivent près des côtes de Californie ont pu observer à maintes reprises le mode de reproduction des grunions. En été, à la marée haute qui suit la pleine lune, ces petits poissons s'approchent péniblement du rivage et y restent un court instant pour pondre leurs œufs, puis ils retournent dans l'eau en frétillant. Les œufs éclosent au bout d'un mois lunaire, lorsqu'à la prochaine grande marée, l'eau vient chercher les larves dans leur nid de sable.

Le Dr. Frank A. Brown étudie depuis plusieurs années les périodicités lunaires dans les organismes marins et qualifie de «formidable» la liste des êtres vivants, animaux et végétaux, qui y sont soumis; il écrit: «Il importe peut-être de souligner que les cycles décrits plus haut semblent se reproduire avec une précision maximale lorsque les conditions extérieures varient très peu et lorsque la lumière, si elle est l'une des variables constantes, reste d'une intensité très faible . . . Une fois établis, les cycles tendent à conserver les mêmes phases jusqu'à ce qu'ils soient modifiés sous l'action d'un agent extérieur . . .»

Ce point prend toute son importance lorsqu'on sait que la lumière de la pleine lune, selon l'Encyclopédie Larousse d'astronomie, équivaut seulement à une ampoule de 40 watts, tenue à 15 mètres de distance, ou à environ 1/500,000e de l'intensité du rayonnement solaire. Ce n'est donc pas beaucoup.

Bunning croit que ces cycles sont endogènes et que le rôle de déclencheur que joue la lumière dans la synchronisation des phases sert à renforcer l'horloge interne que possède l'organisme. Il souligne l'importance de la coordination dans le déroulement du cycle: une lumière, même de forte intensité, n'agira pas comme déclencheur si elle est présente au mauvais moment, alors qu'une lumière de faible intensité peut être efficace si elle agit au moment opportun. Cela signifie que le rayonnement lunaire continuera de jouer son rôle de déclencheur même lorsque la lune est cachée par les nuages pendant 2 ou 3 mois.

La lumière de la pleine lune n'affecte pas seulement les organismes marins. Hora et Williams ont montré qu'elle influençait grandement les cycles de reproduction de plusieurs insectes; d'autres scientifiques ont observé une périodicité lunaire chez les rongeurs et chez d'autres mammifères.

La découverte la plus intéressante est survenue en 1962, lorsqu'un groupe de chercheurs de Yale observa une périodicité lunaire apparente dans le cycle sexuel de quelques primates — lémures et loris. Cowgill et ses collaborateurs notèrent que «les résultats des expériences renforçaient l'hypothèse selon laquelle il existe une corrélation entre les sommets d'activité sexuelle et le cycle lunaire . . .» Il remarqua ainsi que, du point de vue des observateurs humains, la lumière de la lune embellissait les mouvements de parade sexuelle des lémures et des loris, en se réflétant sur les poils blancs et argentés de la queue d'une façon ravissante.

Et voilà! Après avoir pris connaissance de toutes ces recherches, j'en arrivais à la question la plus fondamentale: est-ce que la lune affecte la reproduction humaine, et si oui, comment? La lumière artificielle supprime-t-elle cet effet?

La poursuite de ma recherche m'a convaincue qu'il existe sûrement un lien entre la lune et les phénomènes de reproduction, au moins chez les femmes. Par exemple, les femmes qui résident au-dessus du cercle polaire ont des menstruations irrégulières tout au long de l'hiver. Il arrive fréquemment qu'elles cessent d'être menstruées pendant plusieurs des mois d'hiver et il semble qu'elles n'ont pas d'ovulation. D'autres observations indiquent que les femmes des régions arctiques ovulent plus d'une fois par mois durant l'été.

En 1898, Svante Arrhenius releva les périodes de menstruations de Suédoises qui vivaient en ville et il constata qu'un grand nombre de menstruations débutaient le soir précédent la nouvelle lune. Des études plus récentes ont établi que les menstruations débutaient fréquemment aux environs de la nouvelle lune, mais l'un des chercheurs n'a trouvé aucune corrélation. Ces résultats contradictoires s'expliquent probablement par une absence d'homogénéité dans les méthodes de recherche. On a négligé les variables liées à l'environnement urbain, comme l'incidence de l'éclairage nocturne artificiel. Cette question est cruciale, vous le verrez.

L'anthropologue G. Bateson relate une étude menée au début du siècle dans une ville universitaire anglaise. Il s'agissait de compter le nombre de serviettes sanitaires qui flottaient sur la rivière. Les chercheurs espéraient trouver une quelconque périodicité mais, comme Bateson le rappelle, leurs efforts restèrent vains . . .

Dans un article publié en 1950 dans une revue de gynécologie allemande et intitulé «Le soleil et la lune influencent-ils les naissances et les cycles menstruels?», H. Hoseman soutient que la question n'est pas encore élucidée; néanmoins, il cite les propos d'un auteur d'un ouvrage médical datant de 1821: «Sous les climats chauds, (beaucoup) de femmes ont un cycle menstruel qui suit les phases de la lune. Seuls les cycles des femmes qui ont un mode de vie plus ou moins évolué et qui appartiennent à des tribus dites primitives, subissent fortement l'influence de la lune».

Notre civilisation actuelle se caractérise par la création d'un environnement artificiel — et particulièrement, d'un éclairage artificiel.

Il est étonnant que personne n'ait compilé toutes ces informations avant 1959. A cette époque, le Dr. Walter Menaker et son frère Abraham Menaker posèrent la question de l'existence d'une périodicité lunaire dans les phénomènes de reproduction chez les humains. Ils recueillirent un grand nombre de données et en tirèrent des conclusions assez impressionnantes, qu'ils ont exposées dans la revue *American Journal of Obstetrics and Gynecology.*

Ils s'interrogèrent d'abord sur la coïncidence entre la durée du mois mentruel et celle du mois lunaire, et sur la durée normale d'une grossesse, qui est un multiple de ce mois. Ils firent des observations sur environ 510 000 naissances dans les hôpitaux privés et publics de la ville de New York, en tenant compte de variables telles que le nombre d'accouchements provoqués pendant les jours de semaine et pendant les fins de semaine, etc. Ils trouvèrent que la fréquence des accouchements augmentait significativement à la pleine lune et diminuait tout aussi sensiblement à la nouvelle lune. On supposait que fécondation et naissance avaient lieu au moment de la pleine lune. «Bientôt, on assistera au développement d'une biologie et d'une médecine géophysiques», déclarèrent-ils. Ils allèrent jusqu'à suggérer que le mois lunaire était une unité de temps biologique de la vie humaine.

A la suite de cet article, plusieurs personnes ont confirmé l'existence d'une périodicité lunaire dans les naissances et lorsque le Dr. Menaker publia un autre rapport dans la même revue, qui confirmait ses hypothèses antérieures, le débat semblait ouvert.

Entre temps, Edmond M. Dewan, un physicien, avait réfléchi à cette question. Voici ce qu'il raconte:

«En 1963, j'étais en train de dîner avec deux personnes qui parlaient de la méthode rythmique et se demandaient comment la perfectionner. J'essayai d'introduire dans la discussion la notion d'horloges biologiques et la façon dont on peut les synchroniser selon l'alternance de lumière et d'obscurité. La conversation nous amena à la question suivante: «comment peut-on prévoir l'ovulation?» et ainsi de suite . . . Je réalisai soudain que nous étions en train de parler de l'une de ces horloges biologiques qui, en principe, pourrait être synchronisée de la même manière que les rythmes circadiens. Si l'on parvenait à fixer la durée des phases du cycle d'ovulation, pensais-je, il ne serait plus nécessaire de faire des calculs: on régulariserait le cycle. L'idée d'utiliser la lumière me vint quelques jours plus tard. Elle se basait sur le fait que la durée moyenne du cycle menstruel de la femme se rapproche de celle du cycle lunaire. S'il ne s'agissait pas d'une pure coïncidence, on pouvait essayer un cycle d'alternance de lumière et d'obscurité semblable à celui de la lune.

«En bref, disons que je me suis servi de ma femme comme sujet et «j'oubliai délibérément» de fermer la lumière les 14e,

15e, 16e et 17e nuits de son cycle. Elle n'était au courant de rien.»

Sa femme avait un cycle menstruel extrêmement irrégulier, qui variait de 33 à 48 jours. Dewan utilisa la lumière d'une ampoule incandescente ordinaire, de 100 watts; il plaça l'ampoule dans une lampe de chevet munie d'un abat-jour qu'il posa sur le plancher au pied du lit; la lumière dirigée vers le plafond et les murs créait un éclairage indirect.

Les résultats furent spectaculaires. La femme de Dewan eut deux cycles consécutifs de 29 jours. Le mois suivant, Dewan éteignit la lampe avant l'aube et son cycle dura 35 jours. Pendant les trois mois suivants, il laissa la lumière allumée toute la nuit entre le 14e et le 17e jour et ses cycles furent de 31, 30 puis 29 jours. Lorsqu'il cessa d'utiliser la lumière, les cycles de sa femme redevinrent graduellement irréguliers.

Le Dr. Dewan essaya ensuite une méthode différente avec une autre femme. Il lui demanda d'allumer la lumière uniquement pendant la 14e nuit de son cycle. Cette femme souffrait occasionnellement de crampes abdominales vers le milieu de son cycle — il s'agissait probablement de ce qu'on appelle *mittelschmerz*. A deux reprises, lorsqu'elle utilisa une ampoule de 75 watts qui l'éclairait indirectement durant son sommeil, elle eut des crampes plus fortes le jour suivant. Le Dr. Dewan publia ces résultats dans la revue *American Journal of Obstetrics and Gynecology* en décembre 1967.

Stimulé par ses premiers résultats, le Dr. Dewan contacta le Dr. John Rock, célèbre spécialiste de la fertilité, et lui proposa d'élargir l'expérience. Le Dr. Rock, intrigué, l'autorisa à mener une étude à la clinique gynécologique Rock dans Brooklyn; cette clinique se spécialise dans le traitement des femmes apparemment stériles, ayant des cycles irréguliers et qui désirent avoir des enfants. Le Dr. Terry T. Howard, alors étudiant en médecine, le Dr. Ibrahim M. Seradj et Miriam F. Menkin, une collaboratrice de longue date du Dr. Rock, organisèrent et menèrent l'expérience.

Le rapport final[1] décrivait les cas de 14 femmes qui se présentèrent à la clinique pour des problèmes de stérilité, ainsi que deux autres cas, celui d'une jeune fille de 16 ans, qui souffrait d'irrégularités dans son cycle et celui d'une jeune femme de 26 ans, mère de deux enfants et bien portante. Treize de ces femmes avaient des cycles mentruels irréguliers et/ou anormalement longs. Chez la moitié des couples stériles, la quantité ou la mobilité du sperme du mari était faible. A part la jeune fille de 16 ans, les femmes étaient âgées de 21 à 34 ans.

Pendant les mois de l'expérience, chaque femme dormit avec une ampoule de 100 watts allumée toute la nuit et placée à environ 10 pieds de la tête de lit, les 14e, 15e, 16e et habituellement le 17e jour du cycle menstruel, en comptant le premier jour des menstruations comme le Jour 1. Elles passaient toutes les autres nuits du mois dans l'obscurité totale. Pendant les mois de contrôle, elles n'utilisèrent aucune lumière.

D'après l'analyse statistique des données recueillies, le Dr. Dewan croit que les résultats qui se dégagent de l'expérience sont significatifs et très prometteurs. Ils sont de deux ordres: le premier consiste en une régularisation notable de la longueur du cycle menstruel à la suite de l'utilisation de la lampe; le second indique que le nombre de cycles de 29 jours est nettement plus élevé (toutefois, aucune corrélation n'a été établie avec les phases du cycle lunaire).

Je pris connaissance de cette expérience pour la première fois dans un article de journal que je lus avidement. C'était là une véritable alternative. Et tout se tenait si bien. J'espérais que ce ne soit pas une illusion, car il y avait là une idée magnifique.

Je décidai de tenter l'expérience.

---

[1] «Photic Effects upon the Human Menstrual Cycle: Statistical Evidence», Edmond M. Dewan (doctorat), Miriam F. Menkin (maîtrise), et John Rock (docteur en médecine). En préparation.

Chapitre 7

Rythmes et lumière: l'apprentissage

Je commençai à expérimenter la méthode de Dewan en octobre 1971, en la modifiant quelque peu. Je prenais ma température orale deux fois par jour, immédiatement après le réveil et le soir, entre minuit et une heure du matin, car je voulais savoir à quel moment les résultats seraient les plus précis, et les notais sur un tableau. J'ai essayé plusieurs marques de thermomètre et je me suis aperçue que les moins coûteux, en dépit de leurs garanties, donnaient des lectures différentes à quelques minutes d'intervalle. Les modèles plus chers — à peu près $4.00 — donnaient une information plus juste. Pendant ce temps, je continuais à m'abstenir de tout rapport sexuel.

Durant les deux premiers mois, je ne fis que noter ma température sur une feuille de papier millimétré. Puis, pendant les 14e, 15e et 16e nuits du troisième mois, je laissais allumée une veilleuse de 25 watts; les mois suivants, j'allumais une ampoule de 75 watts dans le placard de l'autre côté de la chambre, en laissant la porte à moitié fermée.

Toutes les autres nuits du mois, je dormais dans une pièce complètement sombre. Ce n'était pas si simple à réaliser car il y avait un réverbère juste en face de ma fenêtre et les phares des automobiles qui passaient, m'éblouissaient. Je posai des draperies épaisses et bouchai la fente sous ma porte avec une serviette de toilette. Tout cela me paraissait parfois un peu fou et je songeais à laisser tomber l'expérience. Mais l'absence d'alternatives ainsi que l'intérêt croissant que je portais à un certain homme me poussaient à persévérer.

Au début, je ne pouvais déceler aucune régularité dans les variations désordonnées de ma température. Je ne savais pas à quoi devait ressembler mon graphique, ni ce que j'attendais d'une telle expérience. Mais je persistais.

Entre-temps, je discutais de cette idée avec les gens que je connaissais. Quelques amis exprimèrent un grand enthousiasme, certains se montrèrent circonspects et d'autres se moquèrent beaucoup. «Voulez-vous dire qu'en levant les yeux le soir vers la fenêtre de ma femme, je pourrais savoir si je peux ou non la baiser?», me demanda un homme incrédule.

Un autre homme admit de mauvaise grâce que j'avais peut-être là une idée intéressante, tout en proclamant qu'il gardait toute sa confiance dans «cette bonne vieille recette, deux aspirines serrées bien fort entre les genoux de la femme». Quelqu'un me dit de commercialiser au plus tôt une marque d'ampoule, tandis qu'un autre me recommanda d'acheter le stock de Westinghouse.

Mes amies du sexe féminin plaisantèrent moins et y virent des possibilités d'applications pratiques pour elles-mêmes, plutôt que des débouchés commerciaux. (Puis-je en déduire qu'il y a là une autre différence entre la psychologie du mâle américain et celle de la femme?). Plusieurs femmes décidèrent d'essayer le test sympto-thermique pour connaître leur propre cycle. Rien ne les empêchait de continuer à se servir d'une autre méthode contraceptive — diaphragme, gelée spermicide ou condom — tout en utilisant le test thermique et la lumière afin de comprendre concrètement le fonctionnement de leur corps. Elles ne couraient aucun risque. En fait, je n'ai trouvé aucune femme qui, ayant cessé de prendre la pilule, n'exprimait pas le désir d'expérimenter cette méthode. Elles n'avaient rien à perdre et tout à gagner.

Je suis parvenue à lire mon graphique au bout de 4 mois. La caractéristique la plus frappante était la montée brusque de température les 15e et 16e jours. Mes cycles étaient plus courts qu'auparavant et après 4 mois d'utilisation de la lumière, mon ovulation coïncida avec la pleine lune. C'était un résultat imprévu! Par la suite, mes règles et mes ovulations restèrent parfaitement synchrones avec la nouvelle et la pleine lune, pendant presque un an, jusqu'à ce qu'une série de troubles émotifs sérieux perturbent cet équilibre. Six mois plus tard, mes cycles avaient à nouveau raccourci et je retrouvais ma place dans l'univers; tout alla bien jusqu'à la fin de 1973, puis mon rythme biologique se dérégla encore une fois, à la suite d'une autre dépression.

Ma température suivait sensiblement la même courbe chaque mois. Du début des menstruations jusqu'à la nuit précédant celle où je laissais la lumière allumée, elle variait peu; les écarts ne dépassaient pas 2 ou 3 dixièmes de degré celsius. Le jour suivant, ou le surlendemain, elle accusait une baisse marquée, suivie d'une montée rapide; l'augmentation excédait parfois 5 dixièmes. La température se maintenait ensuite à ce palier, sans varier de plus de 2 dixièmes de degré, jusqu'au début des menstruations suivantes, où elle retombait brusquement au niveau initial.

Les lectures du soir donnaient toujours des résultats plus élevés que celles du matin, mais je constatai que les deux variaient dans les mêmes proportions. J'appris à lire les courbes comme une pièce de musique et à sentir le rythme de mon corps. Selon moi, ce graphique me renvoyait une meilleure image de moi-même que n'importe quelle photographie.

La brusque montée de température au milieu du mois, précédée d'une baisse sensible est le signal de l'ovulation. LA LUMIÈRE PROVOQUE L'OVULATION. Je remarquai que la lecture du soir me donnait un premier signe de la baisse de température de 6 à 30 heures avant celle du matin. Ainsi, alors que les lectures du matin m'apparaissaient comme un indice plus constant et plus fiable de mon équilibre hormonal, celles du soir me procuraient un premier signal d'avertissement. Je continuai à prendre ma température deux fois par jour pendant un an et demi.

D'autres graphiques de températures ne seront pas identiques au mien mais les caractéristiques suivantes se retrouvent chez toutes les femmes fécondes: à partir du début des menstruations jusqu'au changement de phase, la température reste basse et varie peu; c'est ce qu'on appelle le «palier bas». Puis elle monte brusquement et se stabilise autour du «palier haut» pour retomber à nouveau quand le cycle recommence.

J'utilise la lumière pour régulariser mon cycle d'ovulation depuis mars 1972 et mon seul moyen contraceptif est l'abstinence pendant cette période. Je ne prends plus ma température, sauf pour vérifier le rétablissement de mon cycle lorsque des facteurs l'ont perturbé. Je ne suis jamais tombée enceinte jusqu'à présent. Parmi les femmes que je connais et qui ont essayé cette méthode, l'une d'elles l'a utilisée pour avoir un enfant (cela à réussi dès le premier mois et elle n'était jamais tombée enceinte auparavant); la plupart l'ont utilisée pour éviter une grossesse non désirée. Quelques-unes ont d'abord régularisé parfaitement leur cycle et, lorsqu'elles jugèrent y être parvenues, jetèrent leur diaphragme. Après ma propre expérience, de prime abord très déroutante, je dois dire que c'était là une sage précaution.

Parmi les 29 femmes, il n'y eut que deux grossesses non désirées, sur un total de 344 cycles menstruels. La première femme est tombée enceinte lorsque la lampe était allumée (un risque inhérent à toute méthode qui requiert un acte de volonté). L'autre venait d'accoucher, deux mois plus tôt, et son corps ne s'était pas complètement réadapté à un nouvel état d'équilibre.

L'alternance régulière de lumière et d'obscurité a permis à toutes les femmes, sauf une, de régulariser leur cycle d'ovulation. Elles connaissent maintenant leur période de fertilité et peuvent alors décider d'une grossesse ou l'éviter selon leur désir. Mais ce n'est pas le seul bénéfice qu'elles en tirent.

Premièrement, toutes ont remarqué qu'elles sont plus attentives aux phénomènes qui accompagnent l'ovulation. Non seulement le test thermique leur renvoie une image des variations de leur propre corps, mais elles reconnaissent également d'autres signes: les pertes vaginales augmentent considérablement avant et pendant l'ovulation et fréquemment, le nez coule un peu; le sens de l'odorat est nettement plus développé; elles transpirent davantage et sont donc plus sensibles à leur propre odeur.

Deuxièmement, ces femmes ont compris que le cycle d'ovulation, lié à l'action de la lumière, n'est qu'une partie d'un cycle plus large qu'elles expérimentent chaque mois. Elles sont sensibles à d'autres changements dans leur corps, qui se répètent régulièrement à d'autres moments du mois. Par exemple, certaines ressentent une légère tension ou un regain d'énergie juste avant leurs règles. Les menstruations sont plus courtes et plus abondantes. Plusieurs des femmes enregistrent sur le même tableau le cycle mensuel de leur intérêt sexuel, de leur humeur, de leur activité physique et de leur conscience d'elle-même. Elles découvrent ainsi qu'elles ont d'autres cycles réguliers, en plus de leur cycle menstruel, et l'une d'elles m'a dit qu'elle utilisait avec succès son tableau pour savoir quand organiser une fête ou faire une demande d'emploi.

Ces femmes m'ont aussi signalé plusieurs facteurs qui ont pu perturber le déroulement normal de leur cycle, celui-ci ne correspondant plus au calendrier établi par l'action de la lumière. L'une m'a raconté que cela lui était arrivé après un voyage en avion — à moi aussi d'ailleurs. Trois autres sont devenues irrégulières à la suite de problèmes émotifs graves.

Neuf des femmes ont réussi à synchroniser leur cycle mens-truel avec les phases du cycle lunaire; c'était celles qui avaient utilisé la méthode le plus longtemps.

Toutes les femmes découvrirent qu'après une perturbation de leur cycle, celui-ci se régularisait à nouveau au bout d'un mois ou deux d'utilisation de la lumière. Et toutes étaient plus régulières qu'elles ne l'avaient jamais été (si l'on ne tient pas compte de la régularité artificielle de la pilule).

Cette lumière a donc agi sur d'autres femmes et sur moi-même, et aucune grossesse inexplicable n'est survenue.

Comment puis-je savoir si l'influence de la lumière sur mon corps est bénéfique? Cette action est-elle inscrite dans le processus d'évolution des espèces? La réponse est oui. La luna-ception repose sur la capacité, inhérente à l'organisme féminin, de répondre aux influences constantes de l'environnement. C'est un cadre de référence révolutionnaire pour connaître son corps, demeurer en santé et concevoir ou non un enfant; c'est une méthode biologique qui nous offre la possibilité de trouver un équilibre dans l'univers.

Je voulais vivre en harmonie avec la nature et connaître intimement le fonctionnement de mon corps. Je voulais en finir avec la dichotomie savoir et connaissance, et éviter une gros-sesse sans faire violence à mon corps. La lunaception comblait mes attentes et beaucoup plus encore.

Penser à tout ce que j'avais appris sur mon corps et sur sa place dans l'univers me rendait humble. J'avais d'abord cru qu'il s'agissait là d'un problème personnel, mais je compris alors que cela touchait un domaine beaucoup plus large. Après avoir été ridiculisée pendant des siècles, l'idée d'une relation profonde entre les femmes et la lune commençait à être reconnue.

Comme beaucoup d'autres animaux, l'être humain évolue dans un monde où lumière, obscurité, jour et nuit alternent sans cesse. Pourtant, à certains moments, la nuit n'est pas tout à fait sombre: par exemple aux environs de la pleine lune. J'en suis arrivée à croire que l'espèce humaine a développé une réponse génétique à la lumière de la lune, puisque la plupart des femmes ovulent à la pleine lune et sont menstruées à la nou-velle. Des coutumes se sont développées autour des menstrua-tions et de la nouvelle lune, précisément parce que ces deux phé-nomènes coïncidaient. L'idée que les femmes pouvaient être soumises à des rythmes n'aurait pas surpris les peuples anciens qui respectaient d'autres rythmes de la nature. C'était pour eux une évidence.

Quand on a vu, comme nous l'avons fait, la synchronisation parfaite de toutes les fonctions du corps, doublée d'une résistance à toute épreuve, il est plus difficile d'accepter les méthodes contraceptives qui dominent le marché occidental. Pourquoi serait-il nécessaire de jouer avec notre santé dans le but d'éviter la conception? Et si nous considérons tous les rythmes auxquels nous nous soumettons sur notre planète, il est plus facile d'admettre la vraisemblance d'un lien entre la lune et les femmes. D'autres créatures subissent l'influence de la lune et s'accouplent suivant les phases du cycle lunaire. Sommes-nous différentes?

Les recherches faites sur les accouchements et les menstruations de milliers de femmes des agglomérations urbaines montrent que même dans un environnement qui nous inonde de lumière artificielle, l'influence de la lune demeure. Quelle est donc cette relation entre la lumière et la fécondité chez les humains? Pour trouver une réponse, j'ai dû étudier l'astronomie, la biologie, l'anthropologie, la biochimie et la médecine moderne.

La lumière est assurément le plus puissant et le plus universel «donneur de rythmes». Mais ce n'est pas la lumière qui, en soi, peut provoquer le déclenchement du mécanisme, il faut qu'un certain nombre de conditions soient réunies: une certaine intensité, une certaine longueur d'ondes, à un moment défini à l'intérieur d'une certaine période de temps.

Ceci nous amène au problème de la lumière artificielle. Quel effet a-t-elle sur nous? Différents types de lumière artificielle ont des effets différents, comme l'a montré l'expérience réalisée sur des chiennes, à l'école de médecine de l'Université d'Oregon. D'après moi, il est clair que la lumière artificielle a de sérieuses conséquences, et nous commençons à peine à découvrir les dimensions de ce problème.

Dans l'histoire de l'espèce humaine, la lumière artificielle est un phénomène encore trop récent pour que l'homme ait pu s'y adapter. Même les lépidoptères, qui ont une vie beaucoup plus courte que la nôtre, meurent dans les flammes vers lesquelles ils sont attirés, car, au cours de leur évolution, il se sont adaptés à voler vers la lumière (du soleil ou de la lune) et cette attirance est devenue pour eux un mécanisme vital.

Si la lumière artificielle nous a profondément affectés et si nous voulons retrouver notre équilibre, il faut agir.

A la fin de cette recherche, j'étais encore plus consciente de la nécessité de relier entre eux les différents phénomènes de la vie, en tenant de plus en plus compte de leurs relations réciproques dans des ensembles de plus en plus larges. L'importance de cette notion ne m'était pas nouvelle, mais mon intérêt ne fit que croître lorsque je me trouvai au centre de ces interrelations. A dire vrai, les gens ignorent particulièrement ces problèmes tant qu'ils n'en sont pas directement touchés. Mais si vous avez des tumeurs au sein, vous commencez très vite à vous poser des questions cruciales. Ce sont de telles choses qui vous arrêtent et vous obligent à accorder de l'attention à ce que vous faites. Le besoin évident de vivre dans un corps sain en harmonie avec la nature devient soudain d'un intérêt immédiat.

La relation entre le corps et l'environnement sur laquelle se base la lunaception n'est pas un concept abstrait. C'est l'étape vers une connaissance qui change votre conception de la vie, rétablit un fonctionnement biologique satisfaisant, et procure un sentiment de bien-être. Une fois que vous aurez compris intellectuellement cette relation — en lisant ce livre — vous devrez l'expérimenter vous-même pour en ressentir les bienfaits.

Quand les gens commencent à se sentir bien avec leur corps, l'expérience est irréversible. La nature a ses méthodes d'apprentissage; c'est à nous de savoir jouir des choses qu'elle nous donne. Manger est un plaisir, faire l'amour est un plaisir, créer est un plaisir. Ce sont des choses que nous aimons. «Mais attention, dit la Nature, c'est à toi de t'en servir à bon escient».

Moi, je peux vous dire très sincèrement que dormir dans un lit avec la lumière de la pleine lune illuminant la fenêtre et baignant mon corps me plonge dans une ivresse que je n'avais jamais connue. Ce n'est pas seulement un moment de fertilité psychologique. Quand je suis en accord avec le cycle lunaire, mon corps est dans un état de plénitude qui me pousse très fortement à avoir un enfant. Je pense que la nature l'a voulu ainsi.

Mais toute satisfaction exige une certaine modération. Je ne me sens pas encore prête à devenir enceinte.

J'imagine qu'il y aura toujours des gens pour affirmer qu'il est dangereux de s'approcher autant des mécanismes fondamentaux qui régissent notre vie. Même s'ils refusent de reconnaître les liens manifestes qui nous rattachent au cosmos, ils ne peuvent y échapper. Nous pouvons ignorer l'influence de la lune et dormir toute la nuit avec la télé allumée en continuant à prendre la pilule. Mais nous ne changerons pas le fait que nos corps en sont affectés — sans doute très sérieusement.

Si nous voulons nous épanouir totalement, nous ne devons pas craindre d'explorer tous les niveaux d'existence, des plus élémentaires aux plus élevés. La connaissance de son corps constitue un bon départ.

4

Faites l'expérience

Chapitre 8

Retrouver le «temps de votre corps»

«C'est une véritable expérience spirituelle!»
—*Julia Coopersmith*

F aites l'expérience vous-même. Vous pouvez obtenir une image du fonctionnement de votre corps et de votre esprit, en observant le tracé des courbes qui se dessinent mois après mois. Alors, vous saurez apprécier et comprendrez concrètement ce que signifie «vivre en bonne santé»; de plus, vous découvrirez l'expérience de vous sentir intégrée à un ensemble plus vaste. Sur le plan pratique, vous reconnaîtrez le moment de votre ovulation et enfin, vous serez capable de choisir vos maternités sans recourir à des produits chimiques ou à des appareils.

Si vous désirez pousser plus loin l'expérience, vous pouvez aussi enregistrer sur le tableau les variations de votre intérêt sexuel, de votre humeur, de votre activité physique et de la conscience que vous avez de vous-même. Bien plus, vous serez peut-être capable de déceler une régularité dans la succession de vos pensées les plus intimes.

La pratique de la méthode de la lunaception vous demandera un minimum de cinq minutes par jour, vers la fin de la journée et toujours à la même heure. J'aime à ce moment m'asseoir en boule sur mon lit, avec mon tableau, une surface sur laquelle écrire et mon thermomètre dans la bouche. Je passe en revue ma journée: mes relations avec les gens, la façon dont les choses se sont déroulées pour moi. Certains jours, je me sens incapable d'accomplir quoi que ce soit, alors qu'à d'autres moments, je passe d'une activité à l'autre sans heurt et perte de temps. Il y a des périodes où mes rapports avec les gens sont cordiaux, sincères et agréables; il y en a d'autres où je me dispute avec tout le monde, où je ne suis jamais d'accord avec ceux qui m'entourent. Certains jours, le moindre échange avec un homme, quel qu'il soit, éveille en moi le désir d'un contact plus intime, et d'autres jours, je n'éprouve aucune attirance envers les hommes. Il y a aussi toutes les journées ni bonnes ni mauvaises, où l'on dit, faute d'une expression plus précise, que tout s'est passé «normalement».

Ces cinq minutes représentent à mes yeux une pause très agréable. Je prends ma température, j'examine ma muqueuse vaginale, je remplis mon tableau et comme d'habitude, je prépare l'éclairage qui convient à ce jour particulier de mon cycle. Il se peut que vous ressentiez le besoin d'être seule pendant ce bref moment et que vous trouviez plaisir à en faire un petit rituel personnel; après tout, c'est votre réponse naturelle à un rythme naturel.

Voici maintenant des indications pratiques sur la façon de faire votre tableau, examiner votre muqueuse vaginale, isoler votre chambre, lire votre tableau et l'utiliser comme moyen contraceptif. J'ai également inclus un tableau plus élaboré pour celles qui sont prêtes à mettre plus de temps pour mieux connaître leurs rythmes personnels.

Sur le tableau, vous enregistrez les variations de votre température, de même que vos périodes de menstruations et les jours d'ovulation. En allumant une lumière dans votre chambre trois nuits par mois, vous regulariserez le rythme de votre ovulation.

Pour obtenir ce résultat, il vous faudra:

1. un tableau — il y en a un à la fin du livre ou vous pouvez en fabriquer un vous-même;
2. un stylo-à-bille ou un crayon-feutre à pointe fine;
3. un thermomètre oral de bonne qualité;
4. isoler votre chambre de toute infiltration lumineuse;
5. une veilleuse, une lampe, ou une autre lumière pouvant éclairer votre chambre;
6. concentrer toute votre attention à l'accomplissement de cette routine cinq minutes chaque jour, régulièrement.

Le tableau de base

Vous pouvez utiliser le tableau inclus dans ce livre ou en fabriquer un de la façon suivante:

Achetez du papier quadrillé dans un magasin de fournitures de bureau. Neuf feuilles de papier de 21 cm x 27 cm attachées les unes aux autres suffiront pour inscrire les informations de toute une année.

Les tableaux inclus dans ce livre ont été fabriqués avec du papier plus épais; vous pouvez donc utiliser les deux côtés de la feuille. Les degrés de température sont inscrits de haut en bas sur le côté gauche de la première feuille. Vous n'avez qu'à détacher les feuilles du livre et à les rattacher les unes aux autres avec du papier adhésif. Si vous écrivez sur les deux côtés, ces tableaux peuvent rassembler toutes les informations pour une période d'un an. Si vous fabriquez votre propre tableau, inscrivez les degrés de température, à la main ou à la machine, tel qu'indiqué par la figure 1.

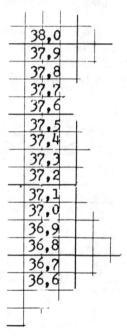

Figure 1

Si vous ne prenez pas la pilule, vous pouvez commencer à tracer le graphique de votre température à partir de n'importe quel jour. Aujourd'hui, par exemple. Pour préparer votre tableau, inscrivez les dates tout en haut de la feuille de gauche à droite — à la main ou à la machine — en commençant par le jour où vous avez décidé de débuter (Fig. 2).

Choisissez un moment de la journée qui vous semble approprié pour prendre votre température. Il importe de le faire à la même heure chaque jour sept jours par semaine. Une différence de quelques minutes est négligeable, mais cela ne doit pas dépasser 15 minutes. Le matin vous semble peut-être le moment opportun car vous vous levez tous les jours à la même heure pour aller travailler; mais cette idée est à rejeter si vous avez l'habitude de vous réveiller tard pendant les fins de semaine. Une habitude se prend plus facilement si elle coïncide avec une autre activité routinière, comme la préparation des repas, le démaquillage, etc.

Rangez ensemble tableau, stylo et thermomètre à un endroit commode. Je n'ai pas de table de chevet, alors je les range sous mon lit.

Vous prendrez votre température tous les jours. Il faut vous abstenir de manger, de fumer, de boire et de vous brosser les dents pendant les 10 minutes précédent cette opération. Gardez le thermomètre dans la bouche, sous la langue, pendant au moins 4 minutes.

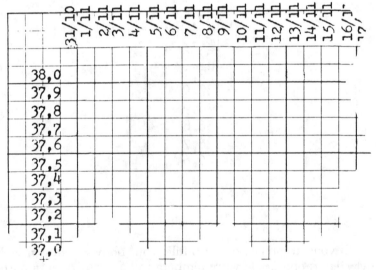

Figure 2. Inscrivez les dates en haut du tableau, de gauche à droite.

Un rhume ou tout autre infection peut élever anormalement votre température, d'où la nécessité de l'enregistrer durant plusieurs mois. Vous pouvez ainsi corriger les anomalies et dégager une courbe régulière.

Si vous ne savez pas comment lire un thermomètre clinique, demandez à votre pharmacien. Il est essentiel d'acheter un thermomètre de bonne qualité, parce que les moins coûteux sont souvent imprécis et cela peut fausser toute l'expérience. Ce sont des instruments fragiles; soyez prévoyante: achetez-en deux.

Faites un point en face du degré exact de température indiqué par le thermomètre et dans la colonne réservée à la date correspondante.

Tirez une ligne du point illustrant la journée précédente jusqu'à celui qui indique la nouvelle journée.

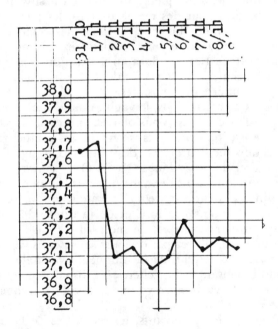

Figure 3: Faites un point en face du degré exact de température indiqué par le thermomètre, dans la colonne réservée à la date correspondante.

L'examen de la muqueuse vaginale

Si vous y prêtez attention, vous remarquerez des changements dans vos pertes vaginales pendant votre période d'ovulation. Ces changements sont caractéristiques et n'importe quelle femme parvient à les reconnaître facilement après quelques mois d'expérience. Les sécrétions de la muqueuse vaginale constituent l'indice le plus fiable du moment de l'ovulation. A part l'utilisation de la lumière, c'est pour vous la seule façon de prévoir le déclenchement prochain de votre ovulation. Plus tard, cet indice vous permettra de vérifier si l'ovulation se produit effectivement comme prévu, d'après le calendrier établi d'après l'usage de la lumière.

Sauf pour les femmes qui prennent la pilule, qui ont été stérilisées ou qui ont dépassé le stade de la ménopause, le cycle des transformations de la muqueuse vaginale est le suivant:

1. A partir du début des menstruations, les parois du vagin sont extrêmement humides à cause des écoulements sanguins; il arrive que les rapports sexuels ne procurent aucune satisfaction pendant au moins quelques jours parce que les écoulements occasionnent des frictions plus fortes qui peuvent être douloureuses.

2. Après les menstruations, le vagin, quand il n'est pas excité, n'a pas de sécrétions. Vous pouvez apprendre à reconnaître cette sensation sans vous servir de vos mains, mais vous aurez une meilleure idée de ce que cela signifie si vous introduisez un doigt dans le vagin. Cette sensation de sécheresse se maintiendra pendant quelques jours ou même une semaine, dépendant de la longueur de votre dernière période de menstruations et de la durée de votre cycle entier. Si votre cycle est de moins de 26 ou 27 jours, il se peut que vous n'ayez pas de jours sans pertes vaginales.

3. La période d'activité de la muqueuse vaginale commence quand la sensation de sécheresse a disparu; si vous touchez les parois du vagin avec votre doigt, vous constaterez qu'elles sont plus humides.

4. Pendant les jours suivants, les sécrétions de la muqueuse deviennent plus abondantes et perdent leur consistance épaisse et trouble pour devenir fluides et transparentes. Si vous en avez une quantité suffisante, vous pouvez la placer entre votre pouce et votre index, et l'étirer comme du blanc d'œuf. Si votre cycle est long, cette transformation de la muqueuse vaginale apparaît pendant un jour ou deux, disparaît, puis se produit à nouveau pendant une période de plusieurs jours précédant l'ovulation; à ce moment, les parois du vagin sont très humides.

5. Vers le 14e jour, ou au milieu du cycle, la muqueuse vaginale atteint un maximum d'élasticité; elle est lisse, glissante et se lubrifie aisément. La sensation d'humidité se reconnaît facilement. On pourrait dire que la nature déroule un «tapis blanc» pour accueillir le sperme lorsque la femme est fertile.

6. Après l'ovulation, le vagin se transforme à nouveau: les parois redeviennent rugueuses, les sécrétions sont plus épaisses et légèrement troubles; elles prennent parfois une teinte jaunâtre et peuvent être un peu visqueuses; ces changements procurent une sensation désagréable. Puis le vagin redevient sec jusqu'aux prochaines menstruations, mais il arrive parfois qu'il s'humidifie occasionnellement pendant une journée au cours de cette période.

La période de fertilité débute avec l'augmentation graduelle des pertes vaginales et se poursuit 3 jours après le moment où les pertes ont atteint un maximum. Cela correspond, dans un cycle normal, à la période du 12e au 17e jour. Le tracé de votre courbe de température coïncidera avec cette hausse et cette baisse d'activité de la muqueuse vaginale. Examinez votre muqueuse vaginale quotidiennement et indiquez sur le tableau les jours de pertes vaginales à l'aide de la lettre P. Lorsque les parois du vagin sont très humides et les pertes très abondantes, soulignez la lettre P.

Isoler votre chambre

La technologie que nous avons développée est responsable, je crois, de l'irrégularité des cycles menstruels chez la majorité des femmes. La pollution créée par l'invasion de la lumière artificielle est importante, même dans une zone semi-urbaine: les réverbères, l'éclairage des bâtiments et des lieux publics, les phares des automobiles, la télévision, etc. De nos jours, la plupart des femmes qui vivent dans les villes n'ont pratiquement pas la possibilité de dormir dans l'obscurité, à moins de prendre des mesures spéciales. C'est ce que vous devez faire, d'une manière ou d'une autre. Vous devez acheter une toile ou accrocher les rideaux plus près de la fenêtre, et/ou boucher la fente sous la porte de votre chambre. Voyez ce qui est nécessaire. Une œillère n'est pas une solution; si notre corps répond aux stimulations de la lumière par un mécanisme extra-rétinien, comme c'est le cas chez d'autres animaux, une œillère ne saurait nous protéger. Jusqu'à ce que nous sachions comment l'information sur la lumière est enregistrée, il vaut mieux dormir dans une obscurité totale, sauf les nuits indiquées dans les paragraphes suivants.

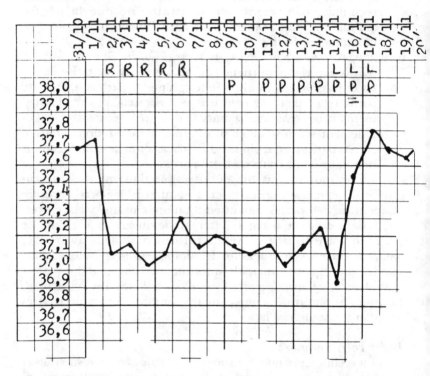

Figure 4: En commençant par le premier jour de vos règles (inscrivez R sous les dates correspondantes), comptez 14 jours et indiquez les nuits où la lumière devra être allumée (inscrivez L sous les dates correspondantes). Evitez de confondre les dates avec les jours du cycle menstruel. Indiquez les jours de pertes vaginales par la lettre P et soulignez le P lorsque les pertes sont très abondantes.

Utiliser la lumière

Installez dans votre chambre une source de lumière de faible puissance. N'importe quelle lampe de plus de 15 ou 25 watts fera l'affaire à condition qu'elle diffuse une lumière blanche.

Comptez 14 jours à partir du premier jour de vos règles et soulignez ce 14e jour sur votre graphique. Notez aussi les jours de vos règles. Voir la figure 4. Dormez avec la lumière allumée le 14e jour, ainsi que les 15e et 16e jours. Puis recommencez à dormir dans la plus totale obscurité.

C'est tout ce qu'il y a à faire. Vous employez la lumière pour déclencher et régulariser les mécanismes cycliques: la lumière provoque l'ovulation à un moment déterminé. L'effet de la lumière se reflètera aussitôt dans votre graphique de température.

Lire votre tableau

Le but du tableau est de vous donner une image visuelle des changements qui se produisent dans votre corps durant le mois. Les femmes — sauf celles qui prennent la pilule, qui ont subi une hystérectomie complète ou qui ont passé la ménopause — subissent normalement tous ces changements. Ce n'est pas le cas des hommes: chez eux, les changements sont moins sensibles. Les variations de température et les transformations de la muqueuse vaginale sont liées aux différentes phases de l'activité hormonale durant le mois. Il est possible de décrire ce qui se passe à l'intérieur du corps lorsque l'ovulation se produit, résultant de la sécrétion d'un groupe d'hormones. Mais cette description est approximative parce que votre courbe de température peut être modifiée par des facteurs autres que l'équilibre hormonal. Vous pouvez avoir un rhume, etc., qui fausse la tendance générale de la courbe.

D'une manière générale, le graphique prendra la forme suivante:

Du début de vos menstruations jusqu'à la nuit précédant celle où vous laissez la lumière allumée, la température reste à peu près la même, avec des variations de quelques dixièmes de degrés en haut ou en bas. Ensuite il y a une légère chute, suivie d'une montée rapide. L'augmentation peut parfois être de 5 dixièmes de degré ou plus. Par la suite, la température reste haute et les variations n'excèdent pas quelques dixièmes de degré. Au début des règles suivantes ou peu de temps après, elle redescend brusquement à son niveau initial (Fig. 5).

La montée rapide au milieu du cycle, précédée d'une baisse légère, indique l'ovulation. Le changement de phase est cet intervalle pendant lequel la température varie et passe du palier bas au palier haut. Le changement complet de phase dure 48 heures, alors que l'ovulation a lieu en quelques instants et que la période de fécondité dure seulement 8 heures, 12 au plus.

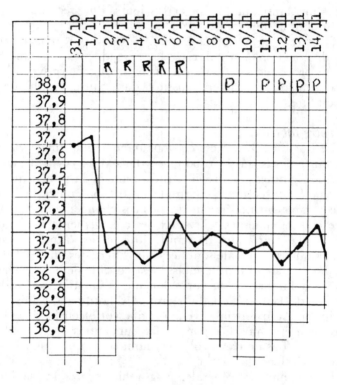

Figure 5: La température varie peu les deux semaines suivant le début des menstruations, puis, après une légère baisse, elle s'élève rapidement (c'est le changement de phase et le signal de l'ovulation). Ensuite, la température

Vous ne pouvez pas savoir exactement où se situent ces 8 heures de fécondité à l'intérieur du changement de phase, à moins de ressentir une douleur abdominale, appelée *mittel-schmerz,* qui peut accompagner la sortie de l'ovule du follicule arrivé à maturation. Si vous ressentez cette douleur, soyez sûre qu'après 24 heures, vous ne courez plus aucun risque de grossesse pour ce mois-ci. Si vous voulez concevoir un enfant, alors c'est le moment.

Le tableau plus élaboré
Vous pouvez enregistrer bien des choses sur le tableau, en plus de la température et de l'activité de la muqueuse vaginale.

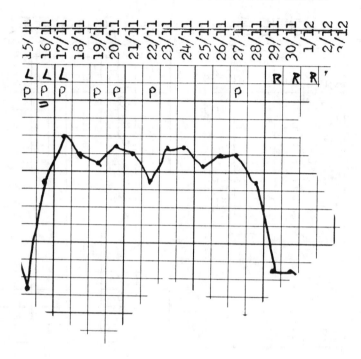

demeure élevée jusqu'au début des menstruations suivantes, lorsqu'elle retombe à nouveau.

Si vous désirez vraiment obtenir une représentation graphique de vos rythmes corporels, consacrez-y quelques minutes de plus chaque jour et vous aurez une image concrète et vivante des cycles de vos comportements et de vos pensées.

Vous pouvez employer les tableaux inclus dans ce livre ou ajouter au tableau que vous avez fabriqué, sous la colonne température, deux autres colonnes, désignées par I et II et comprenant chacune 5 cases, numérotées de 5 à 1. Voir la figure 6.

Au bas du tableau, dessinez une suite de carrés correspondants aux dates que vous avez inscrit en haut du tableau. Voir la figure 7.

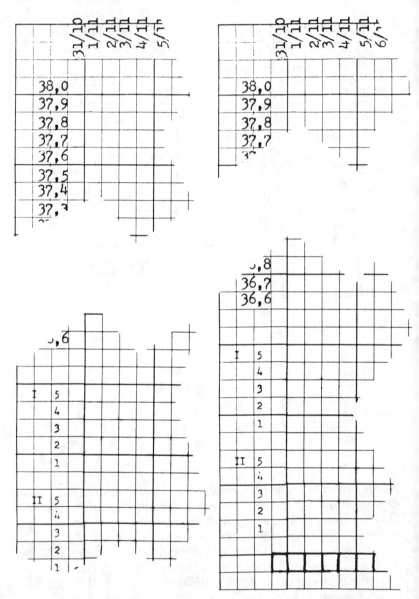

Figure 6: Sous la colonne de température, ajoutez 2 autres colonnes, désignées par I et II, et numérotez les cases de 5 à 1.

Figure 7: Au bas du tableau, dessinez une rangée de carrés, correspondant aux dates inscrites plus haut.

Les numéros dans les cases des colones I et II correspondent aux catégories suivantes:

I L'intérêt sexuel:
5. Recherche active de satisfaction sexuelles.
4. Sensibilité aux avances sexuelles.
3. Attitude «normale».
2. Peu intéressée — il faut beaucoup de stimulation.
1. Attitude négative — hostilité.

L'humeur:
5. Radieuse et sereine, très sûre de vous.
4. Calme et confiante en vos capacités.
3. Humeur «ordinaire».
2. Négligente, d'humeur vive.
1. Irritable et insupportable; agressive.

II L'activité physique:
5. Hyperactive, très affairée.
4. Vous vous sentez en forme et ne perdez pas de temps.
3. «Normal».
2. Passive, indifférente à tout.
1. Apathique ou complètement amorphe.

Conscience de soi:
5. Totalement inconsciente de vous-même.
4. Détendue et peu attentive à vos propres réactions.
3. Votre conscience de vous-même est «normale».
2. Préoccupée et fermée sur vous-même.
1. Complètement introvertie.

Pour remplir ces deux colonnes, vous aurez besoin de deux stylos-à-bille de couleur différente, ou d'un crayon et d'un stylo-à-bille. Vous utilisez une couleur pour l'intérêt sexuel et l'activité physique, et l'autre pour l'humeur et la conscience de soi. Pour prévenir les oublis, indiquez dans le livre la couleur choisie.

Pendant les quelques minutes de solitude dont vous disposez afin de remplir le tableau de base, vous attribuez une note à vos intérêts et vos comportements dans ces quatre domaines. Par exemple, le 2 novembre, si vous vous donnez 4 pour votre intérêt sexuel et 3 pour votre humeur, vous ferez un point au stylo dans la case 4 et un point au crayon dans la case 3 de la

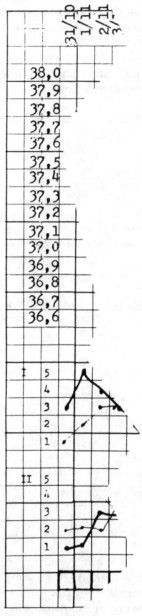

Figure 8: Voici le tracé des courbes, au crayon et au stylo-à-bille, pour une période de quatre jours. Pour être sûre de remplir les colonnes correctement, consultez le paragraphe décrivant l'exemple du 2 novembre.

colonne I; dans la colonne II, vous ferez un point au stylo dans la case 3 pour votre activité physique et un point au crayon dans la case 2 pour votre conscience de vous-même. Voyez le graphique de la figure 8. Vous inscrivez vos notes chaque jour et, dans chaque colonne, vous tirez une ligne entre les points marqués au crayon et une autre entre les points marqués au stylo-à-bille.

Dans le carré au bas du tableau, vous inscrivez le chiffre qui représente symboliquement votre principal sujet de préoccupation tout au long de la journée. Pour cette partie, vous faites vous-même une liste de tous les sujets qui vous préoccupent habituellement, et vous assignez à chacun un chiffre. Il n'est pas nécessaire de les ordonner; il s'agit simplement d'une technique pour enregistrer le sujet de vos réflexions dans un espace restreint. Vous pouvez inclure dans cette liste, des sujets tels que le sexe, l'argent, la politique, les conflits interpersonnels, les enfants, des activités artisanales, l'art, la musique ou tout autre intérêt personnel. Vous devez exclure les sujets qui découlent d'un travail payé et pour lesquels vous ne manifestez aucun intérêt spontané. Cette liste doit refléter les préoccupations réelles qui vous concernent directement. (Vous avez peut-être la chance d'être payée pour un travail qui vous intéresse réellement.)

Vous pouvez ajouter à cette liste d'autres sujets (et d'autres chiffres) au fur et à mesure qu'ils se présentent à votre esprit. Chaque jour, après avoir inscrit vos 4 notes dans les colonnes I et II, vous déterminez le sujet qui vous a le plus préoccupé pendant la journée et inscrivez le chiffre qui convient dans le carré correspondant à la date du jour en question. Vous vous apercevrez peut-être qu'il n'y a que 4 ou 5 sujets qui prédominent vos pensées, ou qu'il y en a 25. Le but de cette partie du tableau est de mettre en évidence les répétitions d'un même chiffre et de découvrir si ces répétitions se produisent selon un rythme régulier. De plus, vous découvrirez peut-être des rapports entre certains sujets de réflexion et les résultats obtenus dans les autres courbes, telles que la température, l'activité physique, etc.

La figure 9, qui est un exemple de tableau complètement rempli, vous donne un aperçu de l'ensemble du graphique.

Faites la liste des principaux sujets qui absorbent votre esprit et inscrivez le chiffre correspondant sur votre tableau chaque jour.

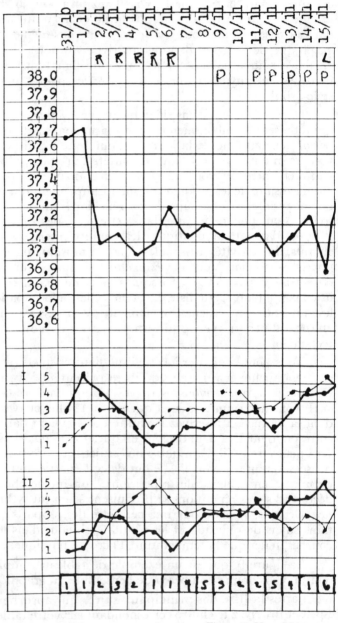

Figure 9: Un tableau-type.

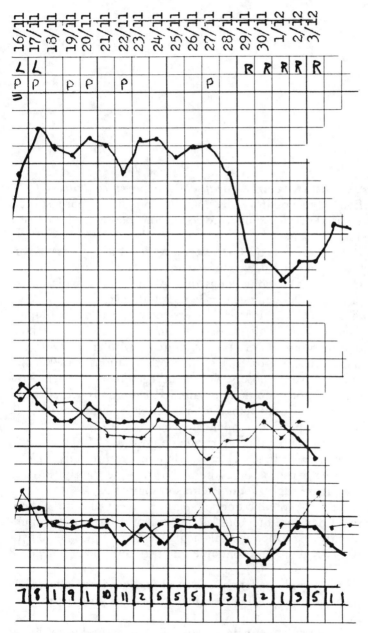

Le vôtre sera différent; c'est normal.

1
2
3
4
5
6
7
8
9
10
etc.

Comment utiliser votre tableau comme moyen contraceptif

Pour savoir quand vous pouvez avoir des rapports sexuels sans courir le risque d'une grossesse, vous devez garder en tête les points suivants:

1. Dans les cycles courts, (c'est-à-dire de 24 à 26 jours), l'ovulation peut être déclenchée avant le 14e jour du cycle.

2. Dans les cycles plus longs que la moyenne, l'ovulation se produit généralement vers le milieu du cycle.

3. Si vos cycles étaient irréguliers (c'est le cas de la plupart d'entre nous), l'alternance de lumière et d'obscurité pendant le sommeil aura pour effet de les régulariser.

4. La moitié des grossesses résultent de relations sexuelles qui ont lieu avant l'observation de la légère baisse de température et l'autre moitié font suite à des relations sexuelles qui se sont produites dans l'intervalle, entre cette baisse et la montée rapide de température.

5. Vous ne courez plus de risque de grossesse 24 heures après avoir observé la légère baisse de température, suivie d'une montée brusque, et 24 heures après que l'activité de la muqueuse vaginale ait atteint son sommet.

6. Il est peu probable que les spermes vivent plus de 36 heures et dans presque tous les cas (excepté pour certains hommes très exceptionnels), ils ne peuvent vivre plus de 60 heures. L'ovule n'est fécondable que pendant une période de 8 à 12 heures.

7. Votre période de fertilité se situe dans un intervalle de 4½ jours autour de la première nuit où vous allumez la lumière.

8. La muqueuse vaginale atteint son maximum d'humidité et les pertes sont plus abondantes au moment de l'ovulation.

Après avoir régularisé votre cycle à l'aide de la lumière, retournez à votre tableau et calculez le nombre de jours dans chaque cycle. Si votre cycle est de 28 ou 29 jours, vous devez allumer la lumière les 14e, 15e et 16e jours du mois. Vous pouvez vous considérer fécondable à partir du matin du 12e jour jusqu'au matin du 17e jour. Si vous voulez savoir plus précisément quand vous êtes fécondable, vous pouvez réduire cet intervalle d'un jour au début ou à la fin. Mais il se peut que vous l'appreniez en tombant enceinte . . .

Si votre cycle n'est pas de 28 ou 29 jours, après plusieurs mois d'utilisation de la lumière, il s'est peut-être régularisé selon un rythme de 27 ou 30 jours. Si tel n'est pas le cas, essayez d'identifier le rythme de votre ovulation d'un mois à l'autre. Avez-vous enregistré un changement de phase quelques jours avant ou après vos menstruations? Pouvez-vous reconnaître une certaine régularité dans les transformations de votre muqueuse vaginale d'un mois à l'autre?

Si votre cycle demeure irrégulier, recherchez les sources de lumière qui pourraient déranger l'alternance de lumière et d'obscurité. Par exemple, est-ce que votre mari se lève au beau milieu de la nuit et allume la lumière? Vérifiez également votre régime alimentaire, le rythme de votre sommeil et celui de vos repas. Des habitudes régulières favorisent une bonne santé, et l'irrégularité peut désynchroniser les rythmes du corps.

Mais si vos habitudes sont régulières, si vous mangez une nourriture saine et nutritive, si vous suivez les indications fournies plus haut, et si, malgré cela, vos cycles sont encore irréguliers, vous devriez consulter votre médecin: des irrégularités importantes du cycle menstruel peuvent être un signe de maladie.

Vous pouvez être fécondable à partir du troisième jour précédant le changement de phase enregistré sur le graphique de température — lorsque les pertes vaginales atteignent un maximum — jusqu'au deuxième jour après ce changement. Cela signifie que vous ne pouvez pas avoir de relations sexuelles sans préservatifs pendant les deux nuits avant de commencer à allumer la lumière et pendant les trois nuits où la lumière est allumée.

Appendice

Recommandations, rappels et autres remarques

Eviter de prendre de l'aspirine avant et pendant les menstruations, ainsi qu'au milieu du cycle. Elle modifie la production normale de prostraglandine.

*****

Si vous habitez une région rurale non éclairée, vous êtes peut-être déjà synchronisée avec les phases du cycle lunaire. Dans ce cas, vous n'aurez pas besoin d'utiliser la lumière. Vos menstruations et vos ovulations coïncident déjà avec la nouvelle et la pleine lune.

*****

Le LSD et la mescaline peuvent déclencher l'ovulation s'ils sont absorbés vers le milieu du cycle. Ces drogues annulent l'action de la sérotonine et il faudrait s'abstenir de les prendre entre le 10e et le 17e jour du cycle menstruel.

*****

D'après Masters et Johnson, certaines femmes — un très petit nombre — ovulent parfois lorsqu'elles ont un orgasme. Vous pouvez vérifier si vous êtes l'une de ces femmes exceptionnelles en surveillant de très près l'évolution de votre graphique de température. Une baisse de température immédiatement après un orgasme, suivie d'une hausse rapide, en est l'indice, surtout si cela se reproduit plus d'une fois. Si vous êtes une de ces femmes, vous avez besoin d'une protection plus grande que celle procurée par la lunaception.

Si vous venez d'abandonner la pilule, il est possible que vous ayez plus d'une ovulation par mois, pendant plusieurs mois. L'utilisation de la lumière régularisera votre cycle en quelques mois mais vous devez vous protéger par d'autres moyens contraceptifs efficaces, tels que le diaphragme, jusqu'à ce que vous soyez sûre que votre corps ait retrouvé son état normal.

*****

Toute femme qui veut se servir de la lunaception comme méthode contraceptive devrait utiliser également un autre moyen contraceptif tant qu'elle n'a pas vérifié la régularité de son cycle sur une période assez longue. Les moments de dépression, la traversée des méridiens, l'usage de la drogue peuvent perturber cette régularité. Dans ce cas, vous devez examiner vos pertes vaginales et prêter une attention particulière aux autres signes du corps qui indiquent l'ovulation.

*****

Je ne recommande aucune manipulation du cycle hormonal naturel en vue d'un contrôle des naissances. Moi-même, je ne le ferai plus.

*****

Prendre un supplément de vitamines B et E, tel qu'on le décrit au chapitre 1, améliore le fonctionnement des organes reproducteurs et des glandes sexuelles.

*****

Durant la période d'ovulation, tout contact entre les organes reproducteurs mâles et femelles peut entraîner la conception d'un être humain.

*****

Vous pouvez partager régulièrement avec votre partenaire vos connaissances sur le déroulement de votre cycle menstruel, à l'aide du tableau. C'est un bon moyen de l'associer à la décision d'avoir ou non un enfant. Cependant, vous n'avez pas à expliquer les éléments du tableau qui sont strictement personnels.

Vous pouvez inscrire bien des choses sur votre tableau. Il peut être un vrai journal personnel. Plus vous y penserez, plus vous voudrez y inscrire un grand nombre de choses. Finalement, vous vous apercevrez qu'au delà d'une certaine limite, le temps que vous y passez ne justifie pas les résultats que vous pouvez obtenir.

*****

Les spermatozoïdes de certains hommes peuvent survivre pendant une semaine dans le corps de certaines femmes—on ne sait pas dans quelle proportion. D'après ce que nous savons, 92% de toutes les conceptions ont lieu entre le 10e et le 16e jour du cycle — ceci inclut toutes les femmes soumises à un environnement de lumière artificielle. La durée de vie normale des cellules reproductrices est de 8 à 12 heures pour l'ovule, et de 36 à 60 heures pour le spermatozoïde. Ainsi, si le sperme est introduit dans l'utérus durant l'intervalle de trois jours, qui commence 2 jours ½ avant l'ovulation et se termine 12 heures après, il y a de fortes possibilités de conception.

*****

Il est préférable de faire l'examen des sécrétions vaginales tard le soir plutôt que le matin.

*****

Vous devrez peut-être vous abstenir de toute relation sexuelle pendant un mois, de façon à dissocier vos sécrétions vaginales du sperme de l'homme. Une fois que vous serez capable de reconnaître vos propres sécrétions, il n'y aura plus de confusion possible.

*****

La lunaception comme méthode contraceptive comporte le même problème que les autres méthodes exigeant un effort de volonté. C'est un acte volontaire.

Certaines femmes utilisant la lunaception ont rapporté que la durée de leur cycle augmentait ou diminuait pendant plusieurs mois, jusqu'à ce qu'elles soient synchronisées avec la lune. Par la suite, elles suivaient un cycle régulier de 29 jours, en accord avec les phases du cycle lunaire. Ces femmes sont celles qui ont utilisé la méthode le plus longtemps. Cela se produira peut-être dans la majorité des cas.

*****

N'ayez pas peur de toucher votre corps et de comprendre son fonctionnement. C'est votre premier droit dans la vie.

*****

Vous pouvez utiliser la lunaception pour enregistrer vos rythmes et comprendre votre place dans l'univers, sans vous engager à l'utiliser comme méthode contraceptive. Dans ce cas, remplissez simplement le tableau et utilisez un moyen contraceptif autre que la pilule ou un type d'hormones.

*****

Le fait de dormir dans l'obscurité durant vos règles peut rendre vos menstruations plus courtes et plus abondantes. Plusieurs femmes ont constaté que la durée de leurs règles avait ainsi diminué de moitié.

Bibliographie

Bibliographie

Chapitre 2: Sources bibliographiques

Allen, E.: «The Irregularity of the Menstrual Function», *American Journal of Obstetrics and Gynecology*, Vol. XXV (1933), pp. 705-9.

Arrhenius, S.: «Die Einwirkung Einflüsse auf physiologische Verhältnisse», *Scandinavian Archives of Physiology*, Vol. VIII (1898), pp. 367-416.

Foster, F.P.: «The Periodicity and Duration of the Menstrual Flow», *New York Medical Journal*, Vol. XXXV (1928), pp. 258-70.

Gunn, D.L.; Jenkin, P.M.; et Gunn, A.L.: «Menstrual Periodicity: Statistical Observations on a Large Sample of Normal Cases», *Journal of Obstetrics and Gynaecology of the British Empire*, Vol. XLIV (1937), pp. 839-79.

Robertson, J.: «An Inquiry into the Natural History of the Menstrual Function», *Edinburgh Medical and Surgical Journal*, vol. XXXVIII (1832), p. 227.

Taussig, F. J.: *Gynecological and Obstetric Monographs*, vols. XIII (1931), p. 22.

Treloar, I.E.; Boynton, R.E.; Behn, B.G.; et Brown, B.W.: «Variations of the Human Menstrual Cycle Through Reproductive Life», *International Journal of Fertility*, vol. XII no. 1, deuxième partie (1967), pp. 77-126.

Chapitre 2: Choix de lectures

Benson, R.: *Handbook of Obstetrics and Gynecology*, Lange Medical Publications, 2ième édition, Los Altos, 1966.

Burr, H.S.; et Messelman, L.K.: «Bioelectric Correlates of Human Ovulation», *Yale Journal of Biology and Medicine*, vol. X, no. 2 (1937), pp. 155-60.

_____: «Bioelectric Correlates of Menstrual Cycles in Women», *American Journal of Obstetrics and Gynecology*, vol. XXXV, no. 5 (1938), pp. 743-51.

_____: «Bioelectric Phenomena Associated with Menstruation», *Yale Journal of Biology and Medicine*, vol. IX, no. 2 (1936), pp. 155-58.

Chiazze, L. et al.: «The Length and Variability of the Human Menstrual Cycle», *Journal of the American medical Association*, vol. CCIII (1968), pp. 377-80.

Consumer Reports, éd.: *The Consumers Union Reports on Family Planning*, Consumers Union, New York, 1966.

Eastman, N.; et Hellman, L.M.: *Williams Obstetrics*, Appleton, Century, Crofts, 12ième édition, New York, 1961.

Farris, E.J.: *Human Ovulation and Fertility*, Lippincott, Philadelphie, 1956.

Gray, H.: *Anatomy of the Human Body*, éd. C.M. Goss, Lea and Febiger, Philadelphie, 1967.

Hartman, C.G., éd.: *Mechanisms Concerned with Conception*, Macmillan, New York, 1963.

Netter, F.H.: *Ciba Collection of Medical Illustrations, vol. 1: Nervous System*, P. Rayman et Cie, France, 1962.

Chapitre 3: Sources bibliographiques

Aristote: *Histoire des animaux*, Les Belles-Lettres, Paris, 1960.

_____: *Politique*, Presses Universitaires de France, Paris, 1950.

Briggs, M.H.: «Vitamin C and Fertility», *Lancet*, vol. II (1973), p. 677.

_____: «Fertility and High-Dose Vitamin C», *Lancet*, vol. II (1973), p. 1083.

Karim, S.M.M.: «Intrauterine Prostaglandins for Outpatient Termination of Very Early Pregnancy», *Lancet*, vol. II (1973), p. 794.

Mocsary, P.; et Csapo, A.I.: «Delayed Menstruation Induced by Prostaglandin in Pregnant Patients», *Lancet*, vol. II (1973), p. 683.

Physicians' Desk Reference, éd. B.B. Huff, Medical Economics Co., 27ième édition, Oradell, 1973.

Platon: *La République*, coll. Médiations, Gonthier, Paris, 1963.

«Prostaglandins and the Uterus», éditorial, *Lancet*, vol. II (1973), pp. 929-30.

Robinson, D.; Rock, J.; et Menkin, M.F.: «Control of Human Spermatogenesis by Induced Changes of Intrascrotal Temperature», *Journal of the American Medical Association*, vol. CCIV (1968), pp. 290-97.

Ryder, N.B.: «Contraceptive Failure in the U.S.», *Family Planning Perspectives*, vol. V, no. 3 (1973), pp. 133-42.

Tietze, C.; Poliakoff, S.R.; et Rock, J.: «The Clinical Effectiveness of the Rhythm Method of Contraception», *Fertility and Sterility*, vol. II, no. 5 (1951), pp. 444-50.

Wilson, C.W.M.; et Loh, H.S.: «Vitamin C and Fertility», *Lancet*, vol. II (1973), pp. 859-60.

Chapitre 3: Choix de lectures

Baum, J. et al.: «Possible Association Between Benign Hepatomas and Oral Contraceptives», *Lancet*, vol. II (1973), pp. 926-28.

Boston Women's Health Collective: *Our Bodies, Ourselves,* Simon & Schuster, New York, 1973.

Cherniak, D.; et Feingold, A.: *Petit manuel de la contraception, Presses de la santé de Montréal Inc., Montréal, 3e édition, mars 1973.*

Djerassi, C.: *Prognosis for the Development of New Chemical Birth-Control Agents»*, *Science,* vol. CLXVI, no. 3904 (1969), pp. 468-73.

Draper, Elisabeth: *Conscience et contrôle des naissances,* Coll. Connaissance de la sexualité, Laffont, Paris, 1971.

Gebhard, P.H. et al.: *Pregnancy, Birth and Abortion,* John Wiley & Sons, New York, 1966.

Harvard Medical Research Associates: *The Handbook of Birth Control,* Robert A. Farmer and Associates, Boston, 1967.

Havemann, E. et al.: *Birth Control,* Time Inc., New York, 1967.

Jackson, L.N.: «Sperm-Counts after Vasectomy», *Lancet,* vol. I (1973), p. 770.

Kistner, R.W.: The Pill, Dell, New York, 1970.

Mueller, M.: «Oral Contraceptives: Government-Supported Programs Are Questioned», *Science,* vol. CLXIII (1967), pp. 553-55.

Nora, J.J.; et Nora, A.H.: «Birth Defects and Oral Contraceptives», *Lancet,* vol. I (1973), pp. 940-41.

Pierson, E.C.: *Sex Is Never an Emergency,* Lippincott, New York, 1971.

Ryder, N.B.; et Westoff, C.F.: «Use of Oral Contraception in the United States, 1965», *Science,* vol. CLIII, no. 3741 (1966), pp. 1190-1205.

Seaman, B.: *The Doctors' Case Against the Pill,* Avon, New York, 1970.

Stone, A.; et Himes, N.E.: *Planned Parenthood,* Collier, New York, 1970.

Chapitre 4: Sources bibliographiques

Bachofen, J.J.: *Du règne de la mère au patriarcat (pages choisies),* Alcan, Paris, 1938.

de Beauvoir, Simone: *Le deuxième sexe,* Gallimard, Paris, 1961.

Briffault, Robert: *The Mothers,* Johnson Reprints, 1927, 3 volumes, New York, 1969.

————; et Malinowski, Bronislaw: *Marriage: Past and Present,* Porter Sargent, Boston, 1956.

Davis, E.G.: *The First Sex,* Penguin, Baltimore, 1971.

Diner, Helen: *Mothers and Amazons,* Julian, New York, 1965.

Dubos, René: *L'homme et l'adaptation au milieu,* coll. Sciences de l'homme, Payot, 1973.

Harding, M. Esther: *Les mystères de la femme dans les temps anciens et modernes,* coll. Bibliothèque scientifique, Payot, Paris, 1953.

Hogbin, Ian: *Island of Menstruating Men,* Chandler Pub. Co., Scranton, 1970.

Lederer, Wolfgang: *Gynophobia ou la peur des femmes,* coll. Bibliothèque scientifique, Payot, Paris, 1970.

Mead, Margaret: *L'un et l'autre sexe,* Denöel, Paris, 1971.

_____: *Mœurs et sexualité en Océanie,* Plon, Paris, 1963.

Montagu, M.F.A.: *The Direction of Human Development,* Hawthorne, New York, 1955.

Murdock, G.P.: *Social Structure,* Macmillan Co., New York, 1955.

Paige, K.E.: «Women Learn to Sing the Menstrual Blues», *Psychology Today,* vol. VII (septembre 1973), p. 4.

Stephens, W.N.: *The Family in Cross-Cultural Perspective,* Holt, Rinehart and Winston, New York, 1963.

Chapitre 4: Choix de lectures

Comfort, Alex: *The Nature of Human Nature,* Harper & Row, New York, 1966.

Engels, Friedrich: *L'origine de la famille, de la propriété privée et de l'état,* Editions sociales, Paris, 1971.

Erikson, Erik H.: *Enfance et société,* Delachaux-Niestlé, Neuchatel-Paris, 1959.

Greer, Germaine: *La femme eunuque,* coll. Réponses, Laffont, Paris, 1971.

Hammond, P.B.: *Cultural and Social Anthropology,* Macmillan, New York, 1964.

Harding, Esther: *Femmes de demain,* Ed. de la Baconnière, Neuchatel-Paris.

Hoebel, E.A.: *The Cheyennes,* Holt, Rinehart and Winston, New York, 1960.

_____: *The Law of Primitive Man,* Atheneum, New York, 1970.

Lee, Dorothy: *Freedom and Culture,* Prentice-Hall, Englewood Cliffs, N. J., 1959.

Leslie, Charles, éd.: *Anthropology of Folk Religion,* Vintage, New York, 1960.

Mair, Lucy: *Marriage,* Penguin, Middlesex, 1971.

Malinowski, Bronislaw: *La sexualité et sa répression dans les sociétés primitives,* Petite bibliothèque no. 95, Payot, Paris, 1969.

Milne, Lorus et Margery: *The Mating Instinct,* Signet, New York, 1968.

Reichel-Dolmatoff, Gérard: *Desana, le symbolisme universel des indiens Tukano du Vaupés,* Bibliothèque des sciences humaines, Gallimard, 1973.

Whiting, B.P., éd.: *Six Cultures: Studies of Child Rearing*, Wiley, New York, 1963.

Chapitre 5: Sources bibliographiques

Axelrod, Julius: Enregistrement d'une conférence prononcée à l'Université de Californie, Berkeley, le 11 janvier 1973, à laquelle l'auteur a assisté.

Bünning, E.: The Physiological Clock, 2e éd. revue et corrigée, New York: Springer-Verlag, 1967.

_____: «Known and Unknown Principles of Biological Chronometry.» *Interdisciplinary Perspectives of Time*, Annals of the New York Academy of Sciences, R. Fisher éd., Vol. CXXXVIII (1967), p. 515-24.

Descartes, René: «Traité de l'homme», dans *Oeuvres et Lettres* coll. La Pléiade, Gallimard, Paris, 1953.

Fiske, V.M., Bryant, G.K.; et Putnam, J.: «Effect of Light on the Weight of the Pineal Gland in the Rat.» *Endocrinology*, Vol. LXVI (1960), p. 489-91.

Guyton, A.C.: *Medical Physiology*, 2e éd. Philadelphia: Saunders, 1961.

Hammer, K.C., and Takimoto, A.: «Circadian Rhythms and Plant Photoperiodism.» *The American Naturalist*, Vol. XCVIII, No. 902 (1964), p. 295-322.

Kitay, J.I., and Altschule, M.D.: *The Pineal Gland*. Cambridge: Harvard University Press, 1954.

Lancet editorial, Vol. II (1974), 1235-7.

Luce, Gay Gaer: *Le temps des corps*, Hachette, Paris, 1972.

Menaker, Michael: «Rhythms, Reproduction and Photoreception.» *Biology of Reproduction*, Vol. IV (1971), p. 295-308.

_____: «Nonvisual Light Reception.» *Scientific American*, Vol. CCXXVI (March, 1972), pp. 22-29.

Riegel, K.W.: «Light Pollution.» *Science*, Vol. CLXXIX, No. 4080 (30 mars, 1973), p. 1285-91.

Rogers, A.L.: Communication téléphonique avec l'auteur.

Van Horn, R.: Communication téléphonique avec l'auteur.

Wurtman, R.J.; Axelrod, J.; et Kelley, D.E.: *The Pineal*. New York: Academic Press, 1969.

Chapitre 5: Choix de lectures

American Society for Photobiology: *Program and Abstracts*, Premier Congrès Annuel. (June 10-14, 1973).

Axelrod, J.: «Noradrenaline: Fate and Control of Its Biosynthesis.» *Science*, Vol. CLXXIII, No. 3997 (1971), p. 598-606.

_____; Snyder, S.H.; Heller, A.; and Moore, R.Y.: «Light-Induced Changes in Pineal Hydroxyindole-O-Methyl Transferase: Abolition by Lateral Hypothalamic Lesions.» *Science*, Vol. CLIV, No. 3751 (1966), p. 898-99.

_____; Shein, H.M.; and Wurtman, R.J.: «Stimulation of C 14 Melatonin Synthesis from C 14 Tryptophan by Noradrenaline in Rat Pineal Organ Culture.» *Proceedings of the National Academy of Sciences*, Vol. LXII (1969), p. 544-49.

Baum, M.J.: «Pineal Gland: Influence on Development of Copulation in Male Rats.» *Science*, Vol. CLXII, No. 3853 (1968), p. 586-87.

Bloom, W., and Fawcett, D.W.: «Pineal Body,» *Textbook of Histology*. Philadelphia: Saunders, 1968.

Brown, F.A., and Park, Y.H.: «Synodic Monthly Modulation of the Diurnal Rhythm of Hamsters.» *Proceedings of the Society for Experimental Biology and Medicine*, Vol. CXXV (1967), p. 712-25.

Eakin, R.M.: «A Third Eye.» *American Scientist*, Vol. LVIII, No. 1 (1970), p. 73-79.

Fiske, V.M., and Huppert, L.C.: «Melatonin Action on Pineal Varies with Photoperiod.» *Science*, Vol. CLXII, No. 3850 (1968), p. 279.

Gaston S., and Menaker, M.: «Pineal Function: The Biological Clock in the Sparrow?» *Science*, Vol. CLX, No. 3832 (1968), p. 1125-27.

Goff, M.L.R., and Finger, F.W.: «Activity Rhythms and Adiurnal Light-Dark Control.» *Science*, Vol. CLIV, No. 3754 (1966), p. 1346-48.

Halberg, F.: «Chronobiology.» *Annual Review of Physiology*, Vol. XXXI (1969), p. 675-725.

Hauenschild, C.: «Lunar Periodicity.» *Cold Spring Harbor Symposium of Quantitative Biology*, Vol. XXV (1960), p. 491-97.

Marler, P., and Hamilton, W.J.: *Mechanisms of Animal Behavior*. New York: Wiley, 1967.

Menaker, M., and Eskin, A.: «Circadian Clock in Photoperiodic Time Measurement: A Test of the Bünning Hypothesis.» *Science*, Vol. CLVII (1967), p. 1182-84.

_____; Roberts, R.; Elliott, J.; and Underwood, H.: «Extraretinal Light Perception in the Sparrow, III» *Proceedings of the National Academy of Sciences*, Vol. LXVII (1970), p. 320-25.

Moore, R.Y.; Heller, A.; Wurtman, R.J.; and Axelrod, J.: «Visual Pathway Mediating Pineal Response to Environmental Light.» *Science*, Vol. CLV (1967), p. 220-23.

Muul, I.: «Day Length and Food.» *Natural History*, Vol. LXXXIV, No. 3 (1965), p. 22-27.

Ott, John N.: *Health and Light: The Effects of Natural and Artificial Light on Man and Other Living Things*. Old Greenwich: Devin-Adair, 1973.

Pittendrigh, C.S.: «Perspectives in the Study of Biological Clocks.» *Perspectives in Marine Biology,* ed. A. A. Buzzati-Traverso. Berkeley: University of California Press, 1958.

Quay, W.B.: «Circadian and Estrous Rhythms in Pineal and Brain Serotonin.» *Progress in Brain Research,* Vol. VIII (1964), p. 61-63.

Reinberg, Alain et Ghata, Jean: *Les rythmes biologiques,* Que sais-je no. 734, Presses Universitaires de France, Paris, 1957.

Chapitre 6: Sources bibliographiques

Amirthaligam, C.: «On Lunar Periodicity in Reproduction of *Pecten Opercularis* Near Plymouth in 1927-8.» *Journal of Marine Biological Association of the United Kingdom,* Vol XV (1928), p. 605-41.

Brown, F.A., Jr.; Hastings, J.W.; et Palmer, J.D.: *The Biological Clock.* New York: Academic Press, 1970.

Bünning, E.: The Physiological Clock. Berlin: Springer-Verlag, 1964.

Cowgill, U.M.; Bishop, A.; Andrew, R.J.; et Hutchinson, G.E.: «An Apparent Lunar Periodicity in the Sexual Cycle of Certain Prosimians.» *Proceedings of the National Academy of Sciences, U.S.A.,* Vol. XLVIII, No. 1 (1962), p. 238-41.

Dewan, E.M.: «On the Possibility of a Perfect Rhythm Method of Birth Control by Periodic Light Stimulation.» *American Journal of Obstetrics and Gynecology,* Vol. XCIX, No. 7 (1967), p. 1016-19.

⸺; Menkin, M.F.; et Rock, J.: «Photic Effects upon the Human Menstrual Cycle: Statistical Evidence.» (in preparation).

Fox, H.M.: «Lunar Periodicity in Reproduction.» *Proceedings of the Royal Society; Series B: Biological Sciences,* Vol. XCV (1923), p. 523-50.

Halberg, F.; Bittner, J.J.; et Smith, D.: «Mitotic Rhythm in Mice, Mammary Tumor Milk Agent, and Breast Cancer.» *Proceedings of the American Association for Cancer Research,* Vol. II (1958), p. 305.

Hora, S.L.: «Lunar Periodicity in the Reproduction of Insects.» *Journal of the Proceedings of the Asiatic Society,* Bengal, N. S., Vol. XXIII (1927), p. 339-41.

Hosemann, H.: «*Bestehen solare und lunare Einflüsse auf die Nativität und den Menstruationszyklus.*» *Zeitschrift für Geburtshilse and Gynakologie* Traduit pour l'auteur par Miriam F. Menkin et Eva H. Ullman, Vol. CXXXIII (1950), p. 263-285.

Kaiser, I.H.; et Halberg, F.: «Circadian Periodic Aspects of Birth.» *Annals of the New York Academy of Sciences,* Vol. XCVIII (1962), p. 1056-68.

Malek, J.; Gleich, J.; et Maly, V.: «Characteristics of the Daily Rhythm of Menstruation and Labor.» *Annals of New York Academy of Sciences,* Vol. XCVIII (1962), p. 1042-55.

Menaker, W.: «Lunar Periodicity with Reference to Live Births.» *American Journal of Obstetrics and Gynecology,* Vol. XCVIII (1967), p. 1002-4.

————, et Menaker, A.: «Lunar Periodicity in Human Reproduction: A Likely Unit of Biological Time.» *American Journal of Obstetrics and Gynecology,* Vol. LXXVII (1959), p. 905-14.

Richter, C.P.: *Biological Clocks in Medicine and Psychiatry.* Springfield: Chas. C. Thomas, 1965.

Williams, C.B.: «The Influence of Moonlight on the Activity of Certain Nocturnal Insects.» *Philosophical Transactions B.,* Vol. CCXXVI (1936), p. 357-89.

Chapitre 6: Choix de lectures

Birkner, F.E.: «Photic Influences on Primate (Macaca Mulatta) Reproduction.» *Laboratory Animal Care,* Vol. XX, No. 2, 1e partie (1970), 181-85.

Bleibtreu, J.N.: *Parable of the Beast.* New York: Macmillan, 1968.

Calquhoun, W.P.: *Biological Rhythms and Human Performance.* New York: Academic Press, 1971.

Jafarey, N.A.; Khan, M.Y.; et Jafarey, S.N.: «Effect of Artificial Lighting on the Age of Menarche.» *Lancet,* Vol. I (1971), p. 707.

————: «Role of Artificial Lighting in Decreasing the Age of Menarche.» *Lancet,* Vol. II (1970), p. 471.

Mills, J.M.: «Human Circadian Rhythms.» *Physiological Reviews,* Vol. CXLVI, No. 1 (1966), p. 128-71.

Pittendrigh, C.S.: «On the Mechanism of the Entrainment of a Circadian Rhythm by Light Cycles,» *Circadian Clocks,* Proceedings of the Feldafing Summer School, J. Aschoff. réd. Amsterdam: North-Holland Publishing Co., 1965.

————, et Minis, D.H.: The Entertainment of Circadian Oscillations by Light and Their Role as Photoperiodic Clocks.» *American Naturalist,* Vol. XCVIII, No. 902 (1964), p. 261-94.

Rudeaux, Lucien et Vaucouleurs, Gérard de: *Astronomie: les astres, l'univers,* Larousse, Paris, 1948.

Skutsch, G.M.: «Role of Artificial Lighting in Decreasing the Age of Menarche.» *Lancet,* Vol. II (1970), p. 571.

Watson, Lyall.: *Supernature.* New York: Doubleday, 1973.

Index

A

Abeille, 95
Abstinence, 68
Accouchement, conditions et occurence des, 66, 110, 115
Acétate phénylmercurique, 60
Acide 5 hydroxindoléacélique, 100
Acide folique, 50
Acné, 21
Adaptation de l'homme, 71
Alcool, 47
Allen, E., 33
Amirthalingam C., 111
Anémie, 50
Animaux, 98; expérience avec la lumière, 101-106; voir aussi mammifères, oiseaux
Anthropologie, étude culturelle comparative, 73, 74, 82; coutume et pratique universelle, 74, 75; voir aussi tabous sur les menstruations, tribu des Woego, 77, 81; tribu des Arrapesh, 78; indiens; Desana, 84, 85; Mixtèques, 83
Apoplexie, 48
"Appendicite du Mississipi", 54
Appétit, 49
Aristote, 44
Arrhenius, Svante, 34, 114
Aspirine, 64
Auto-discipline, voir coitus interruptus, coitus reservatus
Avion à réaction, 109
Avortement, 19, 44, 56, 66; par dilatation et curetage, 66; par succion, 66
Axelrod, Julius, 101

B

Bachofen, J. J., 75
Bateson, Gregory, 114
Beauvoir, Simone de, 76
Bibliothèque de l'Université de Stanford, données anthropologiques sur les relations humaines, 83

Biologie Marine, 111-112
Bouddha, 82
Briffault, Robert, 75, 82, 84
Briggs, M. L., 65
British Medical Journal, 76
Brown, Frank A., 112
Bunning, Erwin, 95, 113

C

Cancer, 17, 48, 50, 58, 64; immunologie et cancer, 66; rythme du cancer, 110
Centre de politiques légales et sociales, 64
Centre Médical Albert Einstein, 38
Cerveau, 99
Changement de phase, 102, 147
Chiens, expériences sur les chiens, 105, 124
Chirurgie, voir stérilisation
Clitoris, 29, 62
Coitus interruptus, 67
Coitus reservatus, 68
Col de l'utérus, voir utérus
Comportement, 99
Condom, 60, 120
Contraceptifs oraux, voir pilule anticonceptionnelle
Contraception, 56, 124, 46-70; moyen chimique, 60-61; moyens expérimentaux, 62-67
Contrôle des naissances, 91, 124; histoire du, 43-46, voir aussi contraception
Corps jaune, 37
Cowgill, U. M., 113
Crampes, 49, 56
Crème spermicide, 60-61
Csapo, A. I., 66
Cuivre, 50, 57
Cycles, voir aussi rythmes, 89-107, 124; cycle lunaire 90-91, 114; voir aussi lune; cycle solaire, 91; cycle endogène, 90, 113; exogène, 90

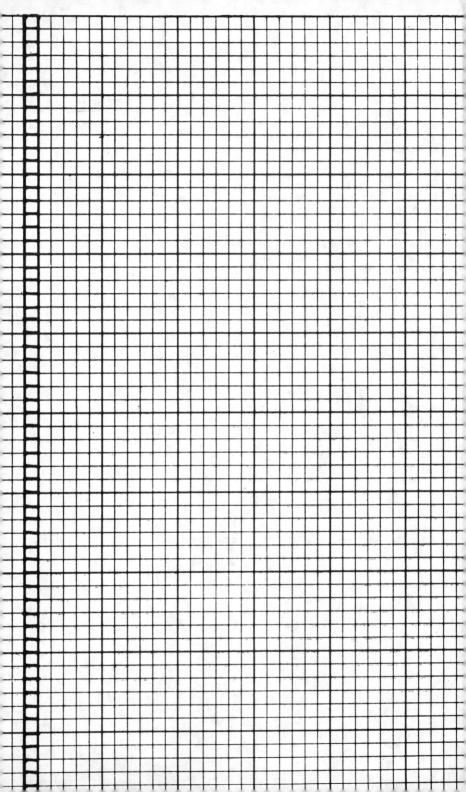

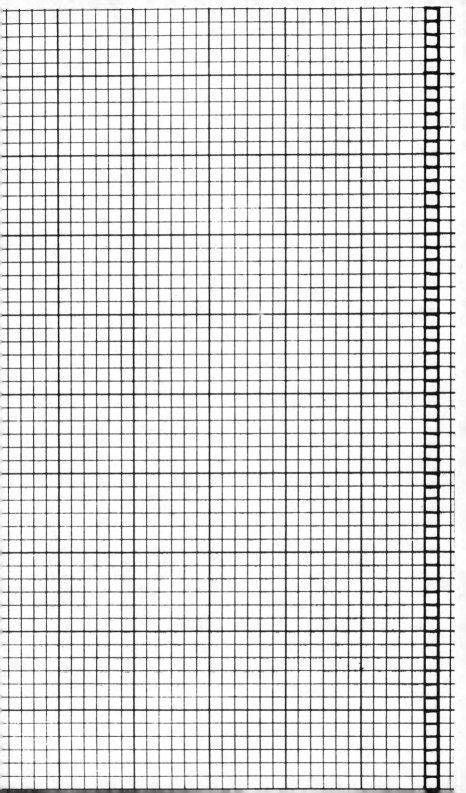

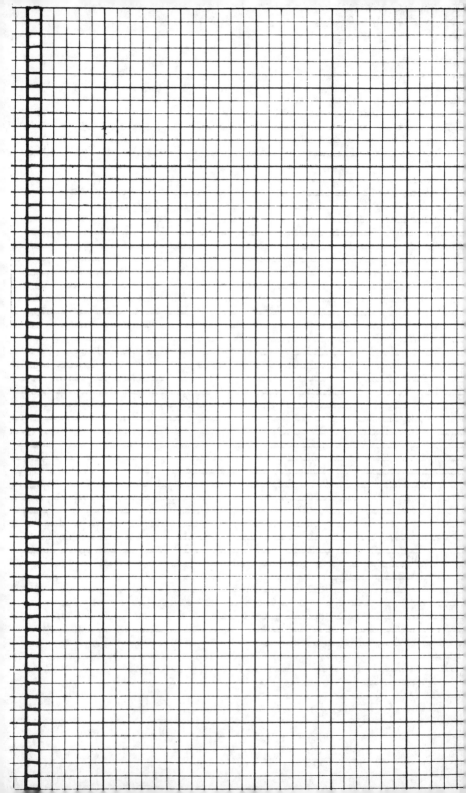

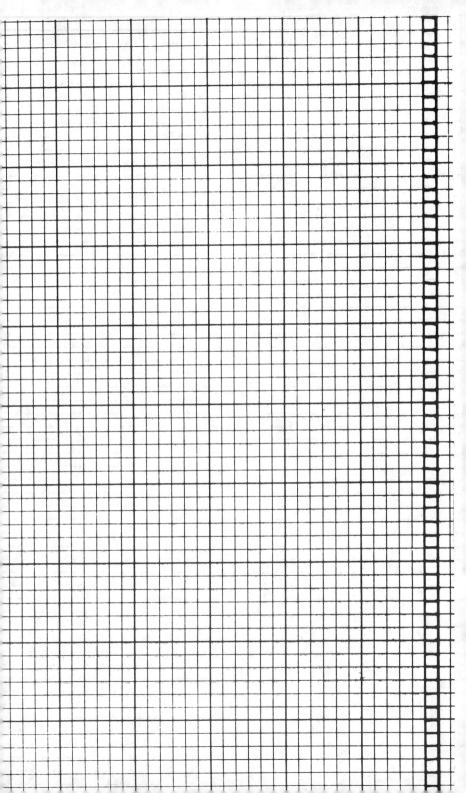

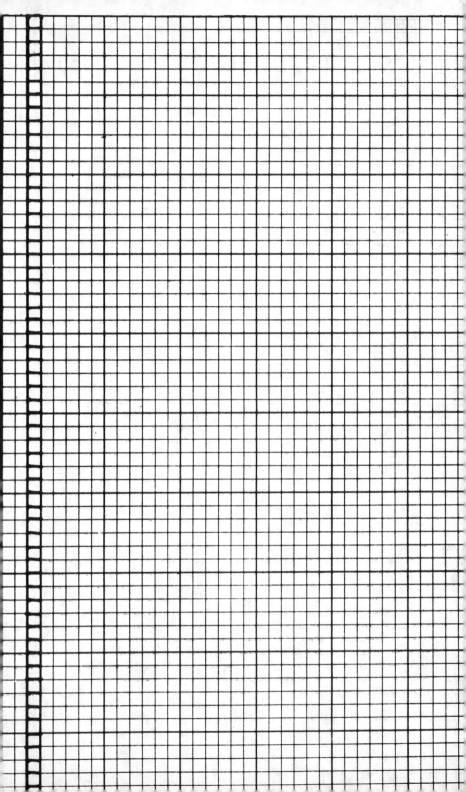

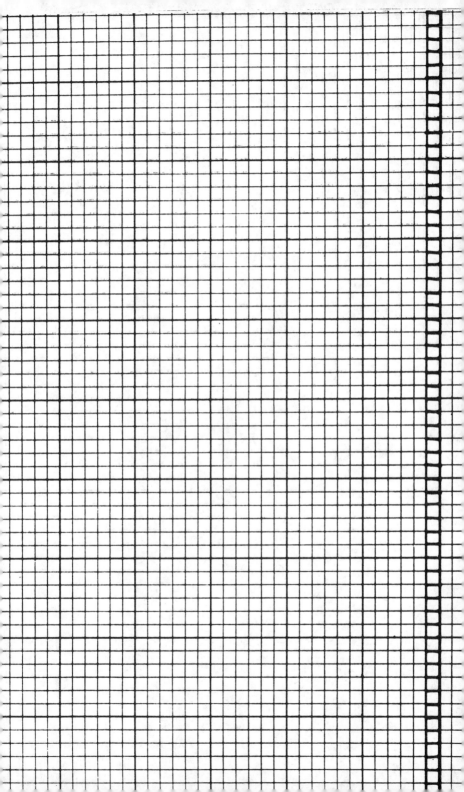

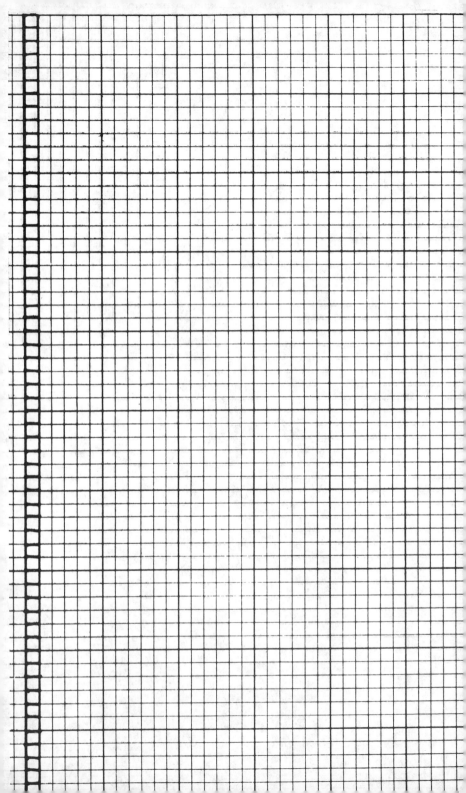

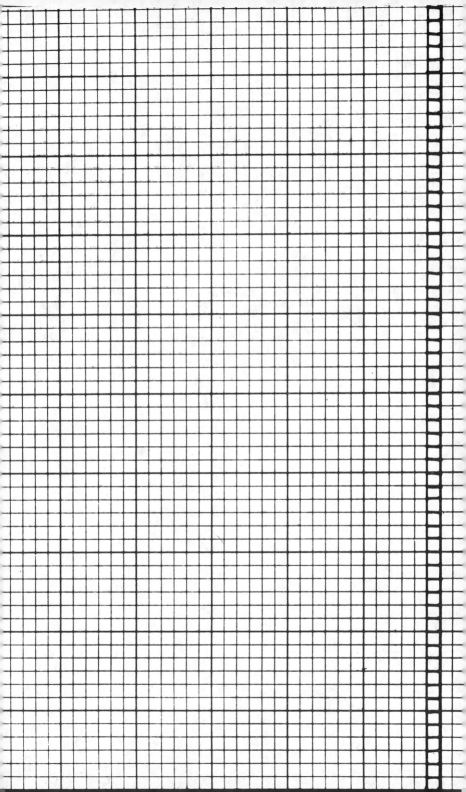

Achevé d'imprimer en avril 1989
sur les presses de l'imprimerie Laballery
58500 Clamecy
Dépôt légal : avril 1989
Numéro d'impression : 903112